老いの品格

品よく、賢く、おもしろく

和田秀樹
Wada Hideki

PHP新書

目次

老いの品格

プロローグ

こんな老人に私はなりたい

第1章

老いることにジタバタしない人には品格がある

第2章 加齢を怖がる必要はない

第3章 常識に縛られない、おもしろい老人になろう

第4章

お金や肩書への執着を捨てる

第5章

「だてに歳はとっていない」と誇れる老人になろう

第6章 すてきな高齢者になるために必要なこと

プロローグ

こんな老人に
私はなりたい

高齢者を35年診てきた私が思う「なりたい老人」の姿

人は子供から大人になり、そして老人になります。子供から大人へと移行する思春期には、ほとんどの人が自我の成長にともなって「自分は何をしたいのか」、さらには「どんな大人になりたいか」について考えるものでしょう。

でも、大人から老人へと移行する「思秋期」(私の造語です)とも呼べる時期に、「どんな老人になりたいか」について考えている人は、あまりいないのではないでしょうか。「いつまでも若くありたい」「老人になりたくない」。いまの日本では、多くの人がそう思っています。

一方、欧米では、たとえば映画の世界を見ても、クリント・イーストウッドやカトリーヌ・ドヌーヴのように、「上手に歳をとっている」ように見える人が少なくありません。

私が映画監督として何度か映画祭に招待されて訪れたモナコでは、白髪でしわだらけの老人がフェラーリから降り立つといった光景をよく目にします。それがじつに格好よく、また、それをあこがれとする価値観があることを感じます。

片や、日本であこがれの対象となるのは、たとえば吉永小百合《さゆり》さんのように、「いつまでも歳をとらない」ように見える人です。それが悪いとは思いませんが、そうした風潮も手伝ってか、映画の世界でも、大滝秀治《おおたきひでじ》さんや北林谷栄《たにえ》さんのような、老人役の名優と呼ばれる人はほぼ見かけなくなりました。

私は、いまの日本には、「こんな老人になりたい」というモデルとなる人がほとんどいないように思います。

たとえば、首相経験者がさっさと政界を引退し、全国を行脚《あんぎゃ》して困っている人の声を聞き、各地で悪を懲《こ》らしめる現代版の〝水戸黄門〟になっていたらおもしろいと思いますが、そんな人がいるという話は聞いたことがありません。

私は、これまで35年近くにわたり老年精神医学に携わってきて、いい歳のとり方をする人と、そうでない人がいることを実感しています。歳をとっても、どこか「いじましい」人、すなわち、せこせこして見苦しい人、けちけちしていて忘れっぽい人がいる一方で、飄々《ひょうひょう》としている人や、老いに対して覚悟を決めているような人もいます。

私自身も60代に入り、自分がこれからどんなふうに歳をとっていきたいかを考えるようになりました。そして、「こんな老人になりたい」という三つのモデルが、自分のなかで明確になってきました。

私がなりたいのは、**「品のある老人」「賢い老人」**、**そして「おもしろい老人」**です。

誤解のないようにお伝えしておくと、私自身が、品のある、賢くて、おもしろい人間だという意味ではありません。私は、『感情的にならない本』（新講社）を書いていながら、ユーチューブやブログでいつも政治などについて怒り狂っている、と指摘されたりします。ですが、私が本に書くのは、どちらかというと「こうありたい自分」の姿であって、「自分はこんな人間である」という表明ではないのです。

私は老年精神科医として、これまで6000人以上の高齢者を診てきました。そのうえで、私が「こうなりたい」と思う高齢者の姿とはどんなものかをお伝えすることが、みなさんにとって〝幸せに歳をとるためのヒント〟になるのではと思っています。

お金や地位があるだけでは幸せな老人にはなれない

私が長年、高齢者と向き合って学んできた重要なことの一つは、高齢期には若いころのような上昇志向の価値観は通用しなくなるということです。肩書を得るために必死でがんばってきても、高齢期になって哀しい思いをするケースは少なくありません。

私は、東京大学医学部を出て医師になりました。大学の同級生には卒業後、医局に残って順調に出世し、東大を含めて一流大学の医学部教授になっている人たちが何人もいます。彼らは、世間的にはかなり立派な肩書を手に入れたといえるでしょう。でも、60代になったいま、彼らにバラ色の未来が待っているとはかぎりません。

医局で出世するために、ひたすら上司にあたる教授の言うことを聞いてきたので、結局、画期的な研究成果を残せないまま、退官の時期を迎えようとしている人が多いのです。そのうえ、いまは、昔のように退官後の天下《あまくだ》り先がいくらでもあるというわけではありません。

一方で、私立大学の医学部を出た同年代の人たちは、早くから開業し、60代のいまはむしろ働き盛りといえるほど、バリバリと仕事をしています。

ちなみに、アメリカでは、教授になってから、みずからの力で研究助成金などを獲得し、本格的な研究に取り組めます。つまり、教授になることが研究のスタートラインなのですが、日本では教授が〝上がり〟のポストなので、教授になったあとはろくに勉強しない人もめずらしくありません。

　そういう人は、肩書があっても中身がない、あるいは中身が古いため、定年になって肩書を失ったとたん、〝何もない人〟になることが多いのです。

　この年代になると、肩書より、一人の人間として生きていくことを選ぶほうが輝いて見えます。たとえば、解剖学者の養老孟司《たけし》さんは、東大医学部の教授でしたが、執筆活動が軌道に乗ると、早々にその職を退いて、「養老孟司」としての生き方を選んだのです。だからこそ、現在もなお「養老孟司」でいられるのだと思います。私も50代になったころから、「和田秀樹」として生きていきたいと思うようになりました。

　私が老年精神科医になったのは、いってみれば偶然です。大学病院で精神科と内科の研修をしたあと、就職先が決まらなかった時期を経て、高齢者専門の総合病院である浴風会《よくふうかい》病院（東京・杉並区）の精神科に運よく採用されました。

つまり、はじめて得られた正規職員のポストが、たまたま高齢者専門病院の精神科医であったというだけで、高齢者への思い入れが深かったわけではありません。ただ、幸か不幸か、競争相手の少ない世界で、貴重な発見や出会いにも恵まれ、この世界なら生きていけそうだと感じ、今日までこの仕事を続けてきました。

浴風会病院は、大正時代に貞明《ていめい》皇后の御下賜金《ごかしきん》をもとに設立された施設の附属病院ということもあり、入院患者には社会的地位の高い人が比較的多くいました。元大臣や、大企業の元社長などもいましたが、その人たちの晩年が恵まれていたかというと、必ずしもそうではありませんでした。

上司に媚《こ》びを売って出世したような人は、高い地位を得ても部下からの人望はありません。自分をかわいがってくれた上司たちは、自分より年配なので先に世を去っていきます。一方で、下の世代からは好かれていないので、高齢になって入院しても、誰も見舞いに訪れないというケースがよくあります。

また、私が勤務していたのはバブル期だったので、患者さんのなかには土地の売買でとてつもない財産を築いたような人もいました。でも、その財産が、子供たちの壮絶な争いの種となるケースを、少なからず見てきました。

老後の幸せは、地位やお金だけで得られるものではないのです。高齢の患者さんと向き合う日々のなかで、そのことを私はひしひしと感じました。

何を得たいかより、どう生きたいか

70代、80代に、どうすればおもしろい人やすてきな人になれるかを、早めに考えておく、あるいはその年代になったら考えてみることが、本当に幸せになる鍵だと私は考えています。

定年後に、少しでも収入の高い仕事に就こうと躍起になる人もいます。生活していくためにそうせざるをえない人も多いでしょうが、ただ、その先もずっとお金のことだけを第一に考える生き方が、生活の真の豊かさ、本当の幸せに結びつくかはちょっと疑問です。

年収２００～３００万円の仕事と年収数千万円の仕事があったとして、そこそこの金額の年金を受給できて、ローンを払い終わった持ち家がある人であれば、そのどちらに就いたとしても、若いころと違って生活の実質的な差はそれほどつかないはずです。国民年金のみの場合でも、プラス３００万円の収入があれば、それなりに充実した生活ができると思います。

もちろん、高級なレストランでの食事を日常的に楽しめるといった違いはあるかもしれませんが、住まいにしても、歳をとるほど豪邸はいらなくなります。子供が独立したあと、広い家で夫婦二人暮らしや独居になり、寂しさを感じたり、スペースをもてあましたりしているという高齢者の話もよく聞きます。ある程度の年齢になれば、一軒家よりもコンパクトなマンションのほうが、むしろ住みやすいともいえます。

高齢になるにしたがって、一般には、それほど高収入を求める必要はなくなっていきます。それは言い換えれば、お金や地位を得ることだけにこだわらず、本当にしたい仕事や生き方を選ぶ自由が手に入るということです。

２０１８年に、当時78歳だったボランティア活動家の男性が、行方不明になっていた子供を発見し、「スーパーボランティア」として注目を浴びました。彼は、世間からの称賛が得たくてボランティア活動に励んでいたわけではなく、ただ人の役に立ちたいと思い、それを喜びとしてずっと活動を続けてきて、結果的に称賛されることになったようです。

歳をとることをやみくもにネガティブにとらえず、これから何をしようか、どんなふうに生きていこうかと考えてみてください。**何を得たいかではなく、どう生きたいかを考え、そのとおりに生きることで、結果として望ましいものを得ると**いうこともあります。

高齢者と向き合うなかで、私はこうしたことに早いうちに気づけました。前述のように、私が老年精神科医になったのは偶然ですが、この道に入ったおかげで、組織に縛られない立場で医師として仕事をしつつ、本を書いたり映画を撮ったりと、やりたいことをして生きてこられました。これからも、この延長線上で生きていくのだろうと思っています。

高齢者専門の医師であることが、私の生き方に影響を与えていることだけはまちがいありません。そして、それはとても幸運なことだと思っています。

第1章 老いることにジタバタしない人には品格がある

老いと闘えるあいだは闘い抜く

いま、老いに対する人びとのスタンスが二極化していると感じます。

一方は、老いとずっと闘いつづけなければならないと考える、「アンチエイジング派」です。いつまでも若々しくありたい、老《ふ》け込みたくない、寝たきりや認知症にならないようにしたいと考える人たちです。

健康食品のコマーシャルで、「90歳でもこんなに元気に歩いています」「人間、心がけしだいでいくつになっても若くいられます」と語る人たちを見て、「私もそうなりたい」と思う人も多いことでしょう。

もう一方は、その対極の反アンチエイジング、「自然に老いる派」です。50歳そこそこで早くも「自然に歳をとりたい」と、反アンチエイジングを公言する女性芸能人も見かけます。

90代の女性脚本家が認知症になって生きることをよしとせず、安楽死を望む一方で、50代の女優が早々に老化を受け入れる姿勢を見せているというのは、何やら奇妙にも思えます。

いつまでも老いと闘いつづけるべきという考えのもと、美容医療やカツラの装着にも意欲的で、アンチエイジングに余念がないグループと、「ボトックス注射でしわをとるなんて許せない」と批判したり、「ヅラ疑惑」と揶揄《やゆ》したりするグループに二分されている現状があります。

老いと闘うか、受け入れるか。私自身は、残念ながら、人間は最終的に老いを受け入れざるをえないと考えています。

そのベースにあるのは、高齢者医療の現場での経験です。私が勤めていた浴風会病院は、もともとは関東大震災で身寄りを失った高齢者の救護施設として、皇室の御下賜金などをもとに設立されました。その後、老年医学の研究のため、当時の東京帝国大学医学部からこの施設に医師が派遣され、入所者の診療を行うとともに、亡くなった人の解剖を行い、高齢者の脳や臓器について研究が進められました。

いまでもその伝統が残っており、私が勤務していた当時は、年間100例ほどの解剖が行われていました。

私はその解剖結果をずっと見てきました。その結果、わかったのは、**85歳を過ぎると、脳にアルツハイマー型の神経の変性がない人、体内にがんがない人、動脈硬化が生じていない人は一人もいない**ということです。

つまり、どれほど認知症にならないようにがんばったところで、あるいは生活習慣病を予防するために食生活や運動に気をつけたところで、ある程度の高齢になれば誰もが認知症になるし、生活習慣病にもなるのです。

かつては成人病と呼ばれていた脳卒中や心臓病などを、「生活習慣病」と改称することを提唱したのは、100歳を過ぎても現役医師として活躍していた日野原重明先生（享年１０５）ですが、その日野原先生でさえ、晩年は脳内に変化が起こっていたと考えられます。

同じくらい脳が縮んでいても、すっかりボケたようになってしまう人と、驚くほど頭がしっかりしている人がおり、症状の表れ方には個人差があります。認知症になったとしても頭を使いつづけて、なるべくしっかりした状態を保つようにしてほしいと思います。

いずれにせよ、人間はいつかボケます。いつかは歩けなくなります。それを覚悟しておく必要があります。

認知症について「ボケる」と表現するのは、侮蔑的であるとして避けるのが一般的になっていますが、私は必ずしもネガティブなニュアンスの言葉とは思っていません。むしろ、脳の老化がもたらす自然な状態を表すものと認識しているので、本書でも使用することをここでお断りしておきます。

認知症の検査法である「長谷川式簡易知能評価スケール」を開発したことでも

知られる、精神科医の長谷川和夫先生は、88歳のときにみずからが認知症であることを公表しました。

日本の認知症医療の第一人者といわれる当人が認知症になったわけですが、長谷川先生本人は、新聞のインタビューで「隠すことはない、年を取ったら誰でもなるんだなと皆が考えるようになれば、社会の認識は変わる」とあっさり言い、「認知症の人自身が何を感じているかを伝えたい」と、講演活動を始めました。

認知症を受け入れず、「認知症になってまで生きたくない」と安楽死を望むより、「ボケたらしかたがない。ボケたなりにできることをやろう」と考えるほうが、老いに対するスタンスとして健全なのではと私は思います。

老いと闘うことと、老いを受け入れることは、二項対立ではなく「移行」だと私は思っています。

老いと闘えるあいだは、闘ったほうがいいと思います。まだ十分に闘える時期なのにそうしないと、年齢以上にずっと老け込んでしまいます。定年後に何もしない生活をしていると、60代でも歩行がよろよろしたり、すっかり老人そのものの顔つきになったりする人もいます。

70歳そこそこで寿命がきていた時代であれば、それでもかまわないと思いますが、**いまや日本人の平均寿命は男性が81歳、女性が87歳を超えています**。これは平均ですから、60歳より前に亡くなる人がいることを考慮し、平均余命を見るかぎり、男性でも85歳くらいまで生きる人が多数派でしょう。

60代から20年以上ものあいだ、ヨボヨボの状態で過ごすというのは、さすがにつらいのではないでしょうか。**歩けなくなると行動範囲がかなり狭くなってしまうので、できるかぎり毎日、散歩を楽しむようにしたい**ですね。

また、認知機能があまりにも急に衰えると、本も読めなくなるし、人との会話もままならなくなるので、なるべく頭を使いつづけるようにすることです。こうして、ある時期までは老いと闘っておいたほうが、少なくとも残りの人生を楽しめると思います。

ただ、認知症になって軽い物忘れが始まった、あるいは歩行がおぼつかなくなったら、それで人生終わりかといえば、そんなことはありません。

老いを受け入れるということは、老いているなりにどう生きるかということです。**老いと闘うフェーズが終われば、次は老いを受け入れるフェーズがあって、そこでジタバタしないことが、格好よく老いる**ことだ思います。

できないことはあきらめて、できることを活かす

歳をとると、体や脳が衰えてきます。それは確かですが、だからといって、いきなり何もできなくなるわけではありません。

たとえば、認知症になると、とたんに何もかもわからなくなると思われがちですが、初期には記憶障害が起こるものの、理解力などはそれほど低下せず、それこそ長谷川和夫先生のように講演さえできるものです。

また、認知機能は衰えても、体は丈夫で長く歩けるという人もいれば、反対に、歩行困難で車いす生活を送らざるをえないものの、頭はシャキッとしている人もいます。老化によって、すべての能力が一様に低下するわけではないのです。

ニュースキャスターの安藤優子さんのお母さんは、認知症が進み、老人ホームに入居していたそうですが、施設で「臨床美術」のセラピーを受けて、大好きだったハワイの思い出を描くようになったといいます。

終末期になれば、寝たきりでほぼ何もできない状態になりますが、それまでは、できないことは増えても、できることは残っています。重要なのは、**できなくなったことを悲観するのではなく、できることを大切にして、それを活かしていく**という考え方です。

パラリンピックの選手たちは、障害者という枠のなかで競争しているというイメージをもたれがちですが、彼らは多くの競技において、ほとんどの健常者よりもはるかに高い能力を見せます。つまり彼らは、できることの能力を最大限に伸ばし、できることのすごさで世界を相手に競っているわけです。

できないことがあってもいいのです。「できることはこんなにすごい」という方向に目を向けることが大事なのです。人は自分の欠点ばかりを気にして、長所を見過ごしがちです。たとえば、受験勉強では、苦手科目を克服しようとするより、得意科目を伸ばすほうが、合計の点数が上がることが多いものです。

実際、高齢になっても、できることの何かがすごければ、人から一目《いちもく》置かれます。たとえ寝たきりになっていても、おもしろい話ができるなら、話を聞かせてほしいと思う人が周りに集まってくるはずです。

絵や音楽、運動など、これまでやってきたことがあれば、できるかぎり続けていくことで、さらに新しい境地にいたることもあるでしょう。ピカソなど巨匠と呼ばれる画家でも、歳をとってからの作品のほうが高い評価を得ることはめずらしくありません。

老いや死は、ある程度上手に受け入れておいたほうが、他人から見ても魅力的であるばかりでなく、自分自身も平穏な気持ちを保つことができます。そして結果的に、老いによるダメージの程度がそれほど大きくならずにすむことが多いと思います。

老いを受け入れると、できないことをあきらめられるぶん、できることを慈《いつく》しみ、それをもっとやってみようという意欲が湧いてきます。そして、老いの時間をより豊かに過ごせるようになると思います。

歯を食いしばってまで老いと闘う必要はない

老いと闘えるうちは闘い、それが難しくなったら、老いを素直に受け入れましょう。では、その二つの時期の境目は何歳なのでしょうか。

自立した生活が送れる期間である「健康寿命」は、いまは男性がおよそ72歳、女性がおよそ75歳です。ここまでは標準的に老いと闘える時期と考えていいでしょう。

とはいえ、75歳前後で老いと闘うことをやめるというのは、いまの実感としては少々早すぎるという気がします。そこで、さらにもう数年がんばるとすると、80歳が一つの目安になるのではないでしょうか。あるいは、85歳も重要な目安となる年齢です。このあたりから、認知症や要介護となる人が一気に増えるからです。

だいたい85歳くらいまでは、ほぼ問題なく歩くことができ、頭もしっかりしていて、普通の社会生活を送ることができます。でも、その年齢を超えると難しくなってくるというのが、一般的な傾向といえます。そうしたことをふまえると、80歳、あるいは85歳を「境目」ととらえることもできます。

とはいえ、いくつまで老いと闘えるかということには個人差があります。したがって、結論としては、自分自身ですっかり衰えたなと感じてからが移行のタイミングだと思います。

たとえば、プロスキーヤーの三浦雄一郎さんのように、90歳間近になっても世界の最高峰からスキーで滑り降りることに挑みつづけている人もいます。ですから、自分自身が老いと闘えるかぎりは、闘いつづけていいといえます。

ただ、自分自身でもう無理だと感じていながら、歯を食いしばってまで闘いつづける必要があるとは思えません。

「何歳まで」という考え方ではなく、のちのち老いは受け入れなければならないという、当たり前の現実を認識しておくことが必要なのだと思います。

自分の老いも他人の老いも素直に受け入れる

いつまでも老いを受け入れられずにいると、「こんなに足が弱くなった自分はダメ老人だ」「昔のように賢いことが言えないバカ老人になってしまった」と、自分を否定する方向に向かいます。

その否定的な視線が、他人に向かうこともあります。つまり、「自分は認知症になってまで生きたくない」などと言って老いと闘っている人が、闘っていない人や比較的早く老いが進んだ人を見下す、「高齢者による高齢者差別」です。ただ、前述のように、いつまで老いと闘えるかは個人差がある以上、そこで差別的な見方をすべきではないといえます。

以前、私が関与していた有料老人ホームが、認知症や重度の要介護になっても、ずっと入居時と同じ居室で暮らせるというコンセプトを打ち出したことがあります。その場合、食堂などでは、車いすの人や認知症が進んだ人と、比較的元気な人が同じ空間を共有することになります。

それは多様性があってすてきなことだと思いきや、元気な入居者側からクレームが出て、結果的に、要介護度が重い人とそうでない人が暮らす棟を分けることになりました。まだ元気な入居者にしてみれば、要介護度が進んだ入居者の姿を目にするのは、「明日はわが身」を思い知らされるようでつらいものがあったのでしょう。

その思いは理解できます。でも、老いを受け入れようとしない高齢者による高齢者差別の構図には、やはり違和感を覚えます。歳をとるということは、いろいろな生き方が訪れることだと私は思っています。その「いろいろな生き方」には、車いすや寝たきりの生活、あるいは認知症になるということも含まれます。

ボケたくない、足腰を弱らせたくないと思い、そのためにできるだけ努力をすることは大事だと思います。でも、**いざ認知症や歩行困難になったら、「なったなりに生きていく」という発想もまた必要**です。その発想がもてないと、そこから先の人生は生きる価値がないという考えに行き着きます。それは、とても残念なことだと思います。

高齢者は、社会的には「弱者」ということになるでしょう。そして、人間は究極的には弱い生き物であるということを、素直に受け入れられるのが高齢者の特性だと私は思っています。**自分の老いのみならず、他人の老いも受け入れられる**

ことが、「品格」と呼べるのではないかと思います。

車いすやおむつは上手に活用しないと損

老いを受け入れられず、結果的に損をしている人も少なくありません。

たとえば、車いすや杖《つえ》などの使用を頑《かたく》なに拒否する人。歩く機能が衰えてきたら、車いすを使えばラクに移動できていろいろな場所に行けるのに、「車いすなんてとんでもない。自分の足で歩く」と言い張る人。結局、歩けないためにどこにも行けず、家にこもりきりになってしまう。そんなパターンはよくあります。

医師の立場から見ても、老いを受け入れることがへただと感じるのは、尿もれ対策としておむつの使用を嫌がる人です。いまや若い女性でさえ、尿ケア用のパッドを使用している時代です。高齢者であればなおのこと、もはや、おむつは要介護認定のお年寄りの象徴などではありません。

私自身もここ最近、心不全の治療で利尿剤を服用しているため、トイレが近くなっているのですが、外出先でなかなかトイレが見つからず、心配になることもあります。

そこで、尿もれパッド付きのパンツを使用するようになりました。多少わずらわしくても、車の運転をしたり旅行したりしているときに、四六時中、必死でトイレを探しまわるストレスを思えばよほど快適です。

日本のおむつは世界一、性能が優れているのですから、利用しない手はないと思います。おむつを素直に受け入れれば、夜も安心して眠ることができ、睡眠の質もよくなります。

たとえば、車いすを一度受け入れたら、加速度的に歩く機能が落ちて、まったく歩けなくなってしまうと懸念する人もいます。でも、いずれにせよ、ゆくゆくは歩けなくなるのですから、いつかは車いすを受け入れなければなりません。そして、いつかは受け入れなければならないのなら、早めに受け入れたほうが得策といえるものも多々あるのです。

便利なものを素直に受け入れることで、できることを増やせます。それを拒絶するのも一つの生き方ではあると思いますが、悪あがきのようにも見えます。

「歩けなくなってきたのはしかたない。でも、車いすに乗ればまだ出かけられるから、まあいいか」

「トイレのことでやきもきしたくないし、おむつを使ってみるか」

「家族とずっとしゃべっていたいから、補聴器をつけてみよう」

そんなふうに言えるのは、すてきなことだと思います。

自分が受ける医療は自分で決める

魅力的な高齢者の大きなポイントは、「余裕」だと思います。歳をとるほど、「死にたくない」「ボケたくない」「貧乏したくない」という不安感や恐怖感で動いている人が多く見られます。

一方で、そうなることは当たり前だと実感できていて、「人間いつかは死ぬんだから」「いつかはボケるんだから」と言っている人は、余裕や風格さえ感じさせます。

私自身は、50代から次々と病気が見つかりました。58歳ごろには、一般的には１１０未満が正常値とされる空腹時血糖値がいきなり６６０になりました。最高血圧も10年ほど前から２００くらいと高めで、それに起因して最近、心不全になり、やむなく利尿剤を服用しています。糖尿病で免疫力が落ちているためか、少し前には帯状疱疹《たいじょうほうしん》になって、かなり痛い思いもしました。

率直にいえば、原因はすべて不摂生です。原因ははっきりしているし、高齢者をたくさん診てきて、いつかは不調を抱えるものだという思いもあって、いまの生活に支障をきたしてまで、薬を増やすなどの対応をしようとは思っていません。

血圧は、高めのほうが頭がシャキッとします。血糖値も、さすがに６００以上もあるとのどが渇いて苦しくなるので、運動をして２００くらいまでは下げますが、なんとしてでも正常値に近づけようとは思っていません。

とくに問題なく生活が送れる数値であれば、たとえ数年後や十数年後に病気になるリスクがあったとしても、薬で体がだるくなったり頭がぼんやりしたりして、いま苦しむよりはいいだろうと思っています。

私が診ている患者さんのなかに、高血圧がひどいのに薬を嫌がって、降圧剤をいっさい飲もうとしない90歳過ぎの高齢者がいます。でも、かくしゃくとしています。また、タバコを吸っていても元気で長生きする人もいます。

高血圧や高血糖を放っておいても、多くの場合は、心筋梗塞《しんきんこうそく》や脳卒中を発症するのは20年後くらいです。血管に深刻な障害が現れるのに、そのくらいの時間がかかることを考えると、その間の医学の進歩を信じるのは、たしかにギャンブルといえるかもしれませんが、否定できないともいえます。

こう考えて、自分が受ける医療は、自分で決めてもいいのではないかというのが、私の考えです。

私の親友であるイスラム学者の中田考《こう》さんは、イスラムの教えを深く信仰していて、世俗をまったく超越しています。あまり健康そうには見えないのですが、生や死は神の思《おぼ》し召《め》しと考えているので、病院にもまったく行きません。

さすがにそれが格好いいとか、見習うべき姿勢とは思いませんが、その姿には、ひと言でいえば「すごいな」と圧倒されます。格好つけて生きるのがいいことだとは思いませんが、「病気になってあわてるのは格好悪いからやめなさい」などと言うつもりもありません。

ただ、高齢になるということは、もれなく病気になるということです。その覚悟をしたうえで、薬は飲まず、酒やタバコは控えず、好きなものを食べる生き方と、健康に最大限注意を払い、節制する生き方の、どちらを自分は選ぶのかを決めておくほうがいいとは思います。

コロナ禍で、感染を恐れて過剰に外出を自粛する高齢者が多く見られます。外に出なければ、たしかに感染しないですむかもしれません。でも、そんな生活を長期間続けていれば、足腰が弱って歩けなくなり、認知機能も低下するリスクが高くなります。そうまでして感染しないことが大事なのか、考える必要があるように思います。

コロナ禍での高齢者の悲劇は、私も数々目にしてきました。まず、病院では感染防止対策で入院患者への面会を原則禁止しているため、高齢の入院患者は、たとえ終末期であっても家族と会うことすらかないません。寂しい状態のなかで最期を迎えるケースもめずらしくないのです。

また、80歳以上ともなれば、いまが旅行や外食を楽しめる最後のタイミングという人も多いはずですが、その機会も大きく減っています。人生最後の旅行に行きたい、最後の思い出にごちそうを食べたいと望む高齢者がいるなら、その願いはかなえられてもいいのではないかと私は思います。

重症化リスクの高い高齢者だからといって、家の外には出さず、病院では面会者を遠ざけるのは、大きなお世話かもしれません。感染者や重症者を増やさないという社会や医療を守る取り組みはもちろん大事なことですが、出歩きたい、見舞いにも来てほしいという個の尊厳や幸せがかなえられないことに強い違和感を覚えます。

同時に、高齢者の「コロナにだけはかかりたくない」という意識の強さも感じます。90歳を過ぎた私の母も、そう言います。

どうやら、コロナは外出自粛要請を無視して遊びまわるなど、不摂生や倫理観の欠如によってかかる「恥ずかしい病気」だと勘違いをしている人が多いようです。

高齢者は「他人に迷惑をかけたくない」という意識が強いため、自分が感染することよりも、それによって周囲に迷惑をかけることを恐れる気持ちが強いのかもしれません。

現在の高齢者は、結核などの感染症で若い人までがバタバタと命を落としていた時代を、直接は知らない世代が中心になっています。長寿が当たり前になり、高齢者でも滅多なことでは死なないのが当たり前になっているからこそ、死や病気に対する不安や恐れも、かつての高齢者よりずっと強くなっているのでしょう。

しかし、人生において「そうなるときはそうなる」のです。死や病気にかぎらず、**すべてのことに対してそう考える「余裕」をもてるほうが、幸せな時間が増えるの**ではないかと思います。

第2章 加齢を怖がる必要はない

根拠のない不安に振りまわされるのは不幸

これからどんどん体が弱っていくのでは……。

いずれこんな病気になるのでは……。

そんなふうに、まだ現実に起こっていないことに対する「予期不安」のようなものを、多くの人が抱えています。現代精神医学の世界では予期不安とは、パニック発作を一度経験して、あの恐ろしい発作がまた起きるのではないかという不安感が生じることを指します。

ただ、多くの人が、さまざまなまだ起こっていないことに対してもつ不安も似たような心理と考えるので、私はあえて予期不安と呼ぶことにします。じつは多くの場合、不安に思っていることが実際に起こっても、恐れていたほどでもなかったということが多いようです。

また、予期不安に振りまわされて、結果的にリスクを高めているケースも少なくありません。たとえば、高齢ドライバーが事故を起こしたニュースを見て、「自分も事故を起こすのでは」と不安になり、自動車の運転免許を自主返納する人がいます。

では、実際に高齢ドライバーが事故を起こす確率はどれくらいでしょうか。警察庁の統計によれば、２０２０年に起こった交通事故のうち、75歳以上の高齢者を第一当事者（加害者）とする事故の件数は２万５８１２件。75歳以上で原付《げんつき》以上の運転免許を保有している人の数は、２０２０年末時点で５９０万４６８６人ですから、75歳以上のドライバーが1年間に交通事故を起こす確率は、単純計算で約０・４パーセントということになります。

同様に計算すると、30代、40代、50代、60代のドライバーが事故を起こす確率は、いずれも約０・３パーセントとほぼ同じです。つまり、高齢のドライバーが事故を起こす確率は、ほかの年代とくらべて少し高いといえます。むしろ突出して高いのは16～24歳の若年層で、約0・7パーセントと高齢者を含むその他の年齢層のほぼ倍の確率で事故を起こしています。

一方で、65歳以上で運転をやめた人が6年後に要介護認定となるリスクは、運転を続けた人の約2・2倍にもなるという、筑波大学などの研究チームによる調査結果があります。

それまで日常的に車を運転していた人が運転をしなくなれば、必然的に出かける機会も意欲も減少します。結果的に活動量が低下し、要介護認定リスクが上がると考えられます。

つまり、高齢者が運転を続けて事故を起こす可能性よりも、運転をやめて要介護認定になる可能性のほうが二ケタくらい高いと考えられるのです。ただ、これには「介護予防のために運転を続けて、死亡事故を起こしたらどうする」という声があるのも事実です。

　でも、それを言うのであれば、高齢者以上に事故を起こしている24歳までに免許を与えつづけることは、高齢者差別だといえるのではないでしょうか。また、生活の自立度を高め、それが高齢者の自尊心を支えることにつながるという面からも、私は、高齢者ができるかぎり運転を続けることに意味があると思います。

　高齢者が新型コロナに感染する可能性と、外出自粛によって要介護になる可能性も、同様の関係にあると思います。新型コロナの感染者数がほぼゼロの地域に住んでいながら、感染するのが怖いからと家にとじこもっていれば、高齢者は1、2年で歩けなくなってしまうでしょう。

　実際に私が診察している患者さんにも、コロナ禍で完全にとじこもりの生活をしていて、認知症が進んだ人や、歩く機能がすっかり低下した人が出ています。

　その一方で、「コロナにかかったらしようがない。でも、歩けなくなるよりはましだから」と言って、歩きつづけていた患者さんも少なからずいて、その人たちはいまも心身の機能維持ができています。

「〇〇が怖い」という不安にとらわれすぎて、かえって怖い状況に自分を追い込んでいるとしたら、それこそ怖いという気がします。

認知症＝何もわからなくなる、という大きな誤解

高齢者にとって最大の不安といえば、「認知症になったらどうしよう」というものではないかと思います。前述のとおり、一定以上の年齢になれば、誰でも認知症になります。

でも、認知症は怖いものではありません。日本人は認知症を「ゼロか1か」で考える傾向があります。つまり、認知症になったが最後、何もわからなくなる、何もできなくなると考えがちです。

そのため、75歳以上の高齢ドライバーが運転免許更新の際に、認知機能検査で「記憶力・判断力が低くなっている（認知症のおそれがある）」と判定されると、医師

の診断を受け、認知症と診断されたら、聴聞などの手続きを経て運転免許が取り上げられます。

そこで私が、「認知症でも車の運転はできる」と言おうものなら、「危険なことを言うな」と大批判されますが、はたしてそうでしょうか。

まず、認識しておかなければならないのは、認知症は軽度から重度まであるスペクトラム障害だということです。軽いうちはほぼ何でもできるし、重くなれば家族の顔もわからなくなるという病気です。

アメリカのロナルド・レーガン元大統領は、大統領を退任した5年後、83歳のときにアルツハイマー病であることを公表しています。その時点で症状はかなり進んでおり、もはや会話が成立しないレベルになっていたともいわれます。

レーガンがアルツハイマー病を発症した時期は定かではありませんが、そこから逆算すると、おそらく大統領在任中にはすでに発症しており、物忘れなどの記憶障害が始まっていたと思われます。

ただ、逆にいえば、認知症が軽度のうちは、大統領の職務でも遂行できるのです。もちろん、企業の経営なども務まります。認知症になったら何かをやめなければいけないわけではなく、認知症がある程度以上に重くなったら、やめる必要があるということです。

前述のように、現在の道路交通法では、75歳以上の高齢ドライバーが正式に認知症と判断された場合は、免許が取り上げられます。でも、私は、これは不合理な話だと思います。それは認知症を差別する以外の何ものでもありません。技能テストか何かを行って認知症が一定以上に重く、自動車の運転が不可能と判断された時点で免許を取り上げるというのが、本来なされるべき措置です。

認知症に関して、こうした誤解が蔓延《まんえん》しているために、やみくもに怖い病気として不安視されている面があります。

認知症になると、たしかに物忘れなどが始まり、できないことが少しずつ増えていきます。でも、できることは残ります。**認知症になったときには、それによ**

って失われていくものではなく、残るものに目を向けることが大切になります。

認知症が進むほど理想的な老人になれる!?

「認知症にだけはなりたくない」という声をよく耳にしますが、認知症はそれほど忌《い》むべきものなのでしょうか。

かつて、前衛芸術家で作家の赤瀬川原平さんが、ベストセラーとなった『老人力』（筑摩書房）という本で書いていたように、「物忘れが多くなった」のは「忘れる力がついてきた」ともいえます。嫌なことを忘れることができる、嫌なことをそうとは認識しなくなるのは、生きやすくするための生物的な適応現象である可能性もあります。

実際、高齢者施設などに行くと、認知症が重くなるほどにこやかにしている人が多いという印象を受けます。認知症は、周囲からは悲惨な病気に見えがちですが、本人は幸せかもしれないのです。

認知症は、人間の生存本能のようなものを感じさせてくれる病気でもあります。私は、これまでに３０００人ほどの認知症の人を診てきています。そのなかには、徘徊《はいかい》中に転倒した人などはいても、道で車にぶつかったという人は一人もいません。

認知症になると、何も判断できなくなると思われがちですが、認知症が相当進んだ人でも、車が近づいてくれば危険を感知して避けます。そうした「怖いものを怖いと思う感覚」は、かなり最後まで残るのです。

認知症になると、自分の身を守るために、より安全にふるまおうとする傾向が強まります。たとえば、認知症の人がものの値段がわからなくなった場合に、自分の思い込んでいる値段で強引に支払おうとするかというと、そうではありません。

１２０円のジュースを買おうとするときに、同じものがかつては40円だった記憶しかないとしても、レジで40円を出すことはしません。まちがっていたら恥ずかしいし、店の人からとがめられるかもしれません。そんな危険を避けるために、値段がわからなかったら、とりあえず1000円札を出しておくのです。

このように、認知症の人は安全策として、「大は小を兼ねる」対応をするようになります。ごく少額の買い物でも1000円札を出して支払おうとするので、財布が小銭だらけになってしまうことがよくあります。

また、「誰にでも敬語で話す」のも、その一つです。高齢の親をもつ人が、子である自分に対してまで敬語を使いはじめたことに驚き、「認知症になったのでは」と、あわてて親を診察に連れてくるケースはよくあります。

以前、勤務していた高齢者専門病院でも、かつて大臣や社長を務めていた入院患者が、はじめのうちは病院のスタッフに対して横柄な態度をとっていたのに、認知症が進むにつれて、誰にでもていねいな言葉を使うようになるのを見てきました。

相手が誰なのかがわからなくなってくると、トラブルを招かないように、とりあえず誰に対してもていねいに接しておこうとするのです。結果的に、認知症が進むほど、いつもにこやかで誰に対しても物腰の柔らかい、理想的な高齢者になれるという面があります。

ただし、認知症の人でも、不快なことをされると怒ります。むしろ怒りだすとコントロールができず、攻撃的な問題患者と思われることがあります。

私の『自分が高齢になるということ』（新講社）という本のアマゾンの書評で、「介護福祉・療養医療などに関わる機会の多い身として正直なところを申し上げると、認知症が進行して周囲とのコミュニケーション障害を起こすに至った方で幸福そうな方にはごく例外的にしかお目にかかったことがありません」というコメントをいただいたことがあります。

入居している高齢者に相当ひどい対応をしている施設の方なのかと疑いを感じました。というのは、通常、幸福そうになっていく認知症の患者さんでも、暴言を吐かれたり、子供扱いをされたりすると、腹も立てるし、不幸そうな顔をするからです。

たしかに、理解力がかなり低下しているため、親切にしていても、相手がそう受け取らず、ひどいことをされたと感じて暴れることはあります。

たとえば、おむつを交換されるときなど、とくに女性は、本人にとって無理やりパンティを脱がされるようなものですから、そのたびに激しく抵抗し、介護者を蹴っ飛ばしたりすることがあります。

でも、そういうことがないときは、ニコニコしていることが多いのです。だから、このコメントをなさった方がどのような介護福祉にかかわっておられるのか疑問に思ったしだいです。ですが、このコメントが参考になったという人が相当数いることからも、世間ではそのように思われているのかということは自覚しました。

いずれにせよ、認知症を過度に恐れることはないのです。

ボケの恐怖にビクビク

クしながら過ごしていても、何もいいことはありません。

認知症予防のために、いわゆる脳トレのパズルなどをやるのも悪いことではありませんが、たいていつまらないので続かないし、続けたとしてもそのパズルの成績が上がるだけで、脳が元気になるわけではありません。

それよりも、くだらない話でもいいから**誰かと会ってしゃべるなど、人とコミュニケーションをとるほうが脳の活性化につながる**し、気持ちのうえでも元気になると思います。

不安を取り除くのではなく共存することを考える

一般的にウイルスは、なるべく宿主《しゅくしゅ》を殺さないようにしつつ仲間を増やしていく、という生き残り戦略にしたがい、変異を重ねる過程で弱毒化するとともに感染力が強まっていきます。ウイルスというものはつねに変異するので強毒化することもあるのですが、弱毒化したウイルスに生存競争で勝てないので、結局は弱毒化したものが流行するのです。

すでに何回も変異を重ねた新型コロナウイルスも、その方向に向かっているとすれば、最終的には毎年数千万人が罹患《りかん》するものの、ほとんどがごく軽症ですむ風邪のようなものに落ち着くはずです。ただし、感染力は以前のものより強くなっているものが生き残るのも事実です。

それをふまえれば、新型コロナをなくすことは現実的ではなく、あることを前提に、どう共存していくかを考えるしかありません。

同様に、歳をとるということは、「何かとともに生きる」ことだ、と私は思っています。**どんなに病気にならないように気をつけていても、人間は病気になります**。歳をとればなおのことそうです。

ある程度高齢で、体のなかに悪いところがない人はほぼいません。高血圧や糖尿病、アルツハイマー、がんなど、なにかしらの病気を抱えているのが普通です。

それを全部なくそうとする発想ではなく、それがあるという前提で生きる必要があります。

精神科医の森田正馬《まさたけ》さんが創始した、「森田療法」という心の治療法があります。森田療法の最大の特色は、不安をもつ人から不安を取り除こうとするのではなく、不安を抱えたままどう生きるかを考えようとすることです。症状不問といって、症状のことはあれこれ聞かないのですが、これは症状を治すより大切なことに目を向けさせるための技法です。

たとえば、顔が赤いことが悩みで、それを治したいと思っている人がいるとします。森田療法ではそこで、なぜ治したいのかを尋ねます。

「顔が赤いと、人に嫌われてしまうから」という答えだとしたら、その人が本質的に求めているのは、「赤い顔を治すこと」ではなく「人から好かれること」です。

そこで、こう提案します。

「顔が赤くても人に好かれている人はいます。顔が赤くないのに人に嫌われている人はもっとたくさんいます。顔が赤いのを治したところで、人に好かれる努力をしないかぎり、好かれるようにはなりません。私はあなたの顔が赤いのを治すことはできないけれど、あなたがどうやったら人に好かれるかを、一緒に考えることはできます」

そして、たとえば話術を磨くとか、笑顔を絶やさない、あるいは、「尊敬する人の前だと顔が赤くなってしまうんです。すみません」というふうに、プラスの印象にもっていけるようなエクスキューズを用意するなど、顔が赤いままでも人に好かれる方法を考え、アドバイスします。

つまり、このケースの場合、「顔が赤いこととともに生きる」をめざします。同じように、病気になる不安を完全に取り除くことはできませんが、病気を抱えながら幸せに生きることはできます。そして、どうすればそれが可能かを考えるほうが建設的です。

健康診断の結果よりも長生きのために大切なこと

病気があっても、それを抱えたまま幸せに生きる、「病気とともに生きる」について、具体的に考えてみましょう。

まず、「認知症とともに生きる」です。私たち高齢者専門の医師が、認知症の患者さんの治療やケアでいちばん大事にしているのは、いまできることを、なるべく長く続けてもらうことです。

たとえば、料理ができる、運転ができるというのなら、それを可能なかぎり続けましょう。いまできること、つまり残存機能をいかに維持するかが重要なのです。

認知症になると、できないことが少しずつ増えていきます。そして残念ながら、できなくなったことがふたたびできるようになる確率は、きわめて低いのも事実です。

認知症の高齢者を介護している家族が、「先月まではこれができたのに、いまはもうできなくなった」と言って嘆くのをよく耳にしますが、できなくなったことにかかずらっていてもどうにもなりません。残念ながら、またできるようになる可能性は低いものです。

それよりも、「いま、まだできることは何なのか」に目を向け、それを大事にするほうが、はるかに意味があります。

残存機能を活かして、どう生きるかを考えてみてください。とくに、認知症の初期の段階では、物忘れなどの記憶障害が生じる程度ですから、できることはかなりあります。

たとえば、長谷川和夫先生のように、自分自身の症状について発信し、認知症に対する理解を広げるような活動もできるかもしれません。また、認知症になると、直近のことに関する短期記憶は失われやすいのですが、昔の経験などについての長期記憶は残るので、たとえば戦時中の思い出話のような、過去の経験を題材にした講演会などを行ったり、本にまとめたりすることも可能です。

次に、「がんとともに生きる」です。私が診てきたかぎり、高齢者の場合、がんを取り除く手術をすると、手術そのものの負担で体力が大幅に落ちます。胃がんなど消化器系のがんであれば、切除することで栄養の摂取に障害が生じるため、手術がうまくいったとしても、そのあとはげっそりとなることがほとんどです。

高齢期のがんは「あったらあったでしょうがない」と思い、排除するより共存して生きることを考えたほうが、その後のQOL（生活の質）は高くなる、と私は確信しています。長生きできるかという観点でも、高齢者のがんは一般的に若い世代のがんよりも進行が遅いので、がんになったままでも結果的にかなり長生きするケースはめずらしくありません。

そして、「生活習慣病とともに生きる」です。血圧や血糖値、コレステロール値を下げるために薬を服用したり、食生活を制限したりしている高齢者はたくさんいます。

血圧を下げるのは、高血圧によって血管が破れ、脳卒中が起こるのを防ぐためとされています。たしかに昭和40年代くらいまでは、血圧がわずか１４０や１５０でも血管が破れ、脳卒中で死亡するケースが多々ありました。当時は、国民のタンパク質の摂取量が少なく、血管が、古タイヤのように破裂しやすい状態になっている人が多かったからです。

でも、栄養状態が改善されたいまでは、たとえ血圧が２００になったとしても、動脈瘤《りゅう》がないかぎり血管が破裂することはまずありません。では、何のために、血圧、あるいは血糖値やコレステロール値を下げることが推奨されているかといえば、多くは動脈硬化を予防するためです。

しかし、どんなに生活習慣に気をつけていたとしても、高齢になれば、ほぼ誰にでも動脈硬化が起こります。そして、すでに動脈硬化が起こって血管の壁が厚くなったあとでは、むしろ血圧や血糖値はやや高めにしておかないと、酸素やブドウ糖が脳に行き渡りにくくなります。

高齢になったら、「高血圧や高血糖と共存する」と考えたほうが、よほど合理的です。「ともに生きられない人」にありがちなのは、健康診断で検査データに少しでも異常があると、必死で正常値にもどそうとしたり、若いころなみの能力を保とうと躍起になったりすることです。

中高年のうちなら、それもまだ意味があると思います。でも、**高齢になったら、健康診断の結果よりも、転倒しないことや、食事をしっかり摂ることのほうが、長生きをするうえでとても意味が大きいのです。**

「病気とともに生きる」が当たり前という発想になれば、老いを受け入れることも上手になります。そもそも高齢者には、予期不安のようなもので本当の自分を押し殺している人が多いと感じます。歳をとってすっかりしおれた印象の人、輝きがない人の多くはそうだと思います。それはとてももったいないことだと感じます。

高齢者になったときの薬との上手なつきあい方

血圧や血糖値が高い人が、それを下げる薬を服用することによって、頭がフラフラすることがあります。40代や50代の人が動脈硬化を予防するためにそれらの薬を飲むのはわかりますが、すでに動脈硬化の進行が起きていると思われる年代であれば、頭がフラフラするくらいなら服用をやめるか、量を減らすという発想をもったほうがいいと思います。

そもそも日本では、それを飲めば長生きできるとわかっている薬などほとんど存在しません。たいていの薬は、それを飲むと血圧が下がる、血糖値が下がるなど、即時的な効果はあります。

でも、飲みつづけると、10年後には心筋梗塞になる確率が下がるなど、長期間服用することでどんな効果があるかはわかっていません。それを検証する大規模調査はほとんど行われていないからです。

　血圧などの薬を飲んでいても、年齢とともに動脈硬化は着実に進んでいくので、心筋梗塞になることはあります。それなら心臓ドック（虚血性心疾患など心臓病のリスクを調べる検査コースの総称）を受けて、心臓をとりまく冠動脈に動脈硬化で狭くなっている部分がないかを調べ、見つかったら血管を広げる処置をするほうが心筋梗塞の予防には有効です。

　また、認知症と診断されたら、認知症の治療薬を服用したほうがいいのかというのも、難しい問題です。日本では１９９９年に、認知症の進行を遅らせるための「ドネペジル（製品名『アリセプト』）」という薬がはじめて認可されました。翌２０００年に介護保険制度が始まり、その時期を境に、実際に全体的な傾向として高齢者の認知症の進行は遅くなっています。

　ただ、それが薬による効果なのか、介護保険制度により、それまで家族介護で家のなかに閉じ込められがちだった認知症の高齢者が、デイサービスなどの利用で脳に刺激を受ける機会が増えたことによる効果なのかは、判断が分かれるところです。

アルツハイマー型認知症は、脳の神経細胞のなかまでアミロイドβというタンパク質が増えることで発症するとされています。現在、認知症の治療で使われている薬は、アミロイドβが増えるのを防ぐものではなく、アセチルコリンという神経伝達物質を増やすことにより、脳内の神経の働きを活発にするものが中心です。

それらの薬は、認知症の進行を多少遅らせる効果はありますが、「多少」程度です。多少であっても効果があるなら飲むと判断してもいいし、その薬代を使って、月1回おいしいものを食べようという発想があってもいいのです。そこは個人の生き方、考え方しだいだと思います。

現在のところ、認知症の根本的な治療薬はありません。アミロイドβが脳内で増えるのを防ぐ新薬として注目された「アデュカヌマブ」は、現時点では認知症の進行抑制に有効といえるだけのデータがないとして、２０２１年に厚生労働省による承認が見送られました。

認知症の根本的な治療薬ができるかどうかは難しいところです。アミロイドβが脳内で増えるのを防ぐことができるとして、それが有効なのは、もしかしたら認知症になるずっと前の段階なのかもしれないし、認知症が一種の老化現象である以上、アミロイドβの蓄積だけをとめても、発症を防ぐことはできないかもしれないからです。まだそこがわかっていません。

また、うつ病の薬に関しては、「幸せホルモン」とも呼ばれる脳内の神経伝達物質、セロトニンの働きを増強する「ＳＳＲＩ」（選択的セロトニン再取り込み阻害薬）という薬があります。若者には効きにくいなどの問題が指摘されていますが、私の経験では、高齢者の場合は比較的効く人が多いようです。とはいえ、すべての人に効くわけではありません。

薬は、少なくとも長期的に見れば効果がはっきりしないものが大半で、しかも、人によってあう、あわないの差が大きいものです。あらゆる薬に対して、「絶対に飲まなければいけない」ではなく、「効果はよくわからないし、あまり期待はしていないけど、飲んでおこう」くらいのスタンスでいるほうがいいと思います。

また、もう一つおすすめしたいのは、「ラクになるなら飲む、ラクにならないのなら飲まない」というスタンスをもつことです。風邪薬や頭痛薬は飲まないのに、血圧の薬は後生《ごしょう》大事に飲んでいる高齢者をよく見かけます。すでに日常的に飲んでいる薬に加えて、別の薬を飲むのは体に悪いと考えているようですが、**風邪の症状や頭痛がつらいなら、それを緩和する薬を飲むのをためらう必要はない**と思います。

むしろ血圧などの薬こそ、それを飲めば調子が悪いならば、無理をして飲む必要があるのかと思います。どんな薬であれ、長期にわたって飲みつづける薬のほうが、副作用が出やすいことは明らかです。風邪薬のように一時的に服用するだけの薬によって、体に不可逆的な害が出ることはまず考えられません。

高齢になるほど、多くの人が、薬を日常的に何種類か服用するようになっていきます。だからこそ、薬とのつきあい方をもう一度、考えてみる必要があると思います。

孤独を恐れず好きな生き方をしよう

現在、一人で暮らす65歳以上の高齢者は、日本では６７０万人を超えています。単身の高齢者が大きな事件を起こしたりすると、高齢者の孤立や孤独の問題がメディアでやたらとクローズアップされますが、独居の高齢者みんなが孤独感で追いつめられているわけではなく、孤独を上手に生きている人も何百万人という単位で存在しています。

２０１８年の警察庁「自殺統計」の集計結果（厚生労働省作成）を見ると、高齢の自殺者において、男女ともに、独居の人よりも同居人がいる人の割合が高くなっていることがわかります。

こうした傾向は高齢者に限ったことではなく、すべての年齢階級に見られるのですが、とくに高齢者の場合は、独居である孤独感よりも、同居の家族などに迷惑をかけているという罪悪感のほうが自殺につながりやすい、と推測することもできます。

一人暮らしで誰にも看取られずに亡くなり、死後何日もたって発見される、いわゆる「孤独死」を恐れる人も多いのですが、死んで何日も誰からも発見されないということは、裏を返せば死の直前まで元気だった可能性もあるということです。

というのも、いまは要介護認定を受けた高齢者であれば、ほぼ例外なく何らかの福祉サービスとつながっています。したがって、日常的に支援が行われるので、たとえ孤独死したくてもできないのです。自殺などのケースを除けば、孤独死は、「ピンピンコロリ」、すなわち直前まで寝たきりにもならず、元気に生きて最期を迎える理想的な死に方ともいえます。

「孤独」という言葉に過敏に反応して、「孤独死はしたくない」などと不安がるより、一人で生きることを楽しむほうがずっと有意義です。

一人でいれば、家族などから干渉を受けず、自分の好きなことができます。たとえば、食事にしても、家族から「健康のため」という名目で口出しや制限を受けることもなく、好きなものが食べられます。家で何をして過ごしていようが、誰からも文句を言われることはありません。

もちろん、孤独な高齢者は品位があって、そうでない高齢者は品位がないという、「孤独至上主義」的な意味で言っているのではありません。第3章で述べるように、**自分の考えをアウトプットすることが**、**高齢期にはとくに重要**です。その意味においても、**話し相手になってくれる人の存在や他人との交流が不可欠**だと思います。

一ついえるのは、孤独を恐れ、不安でビクビクしていると、好きな生き方ができないことです。

たとえば、ある程度、財産のある高齢の男性が妻に先立たれたあと、身のまわりの世話をしてくれる女性が現れて、その人と結婚したいと言ったら、彼の子供はほぼまちがいなく反対するでしょう。父親の財産を、その女性にとられたくないと思うからです。

でも、その財産は彼がつくったものである以上、自分自身の幸せのために使うべきであって、子供のために残すものではないと私は思います。ところが、この場合、多くの人はそこで結婚をあきらめてしまいます。

たとえ、その女性が財産目当てであったとしても、相手が亡くなるまでに離婚されないようにしなければ、遺産を手にすることはできません。そして、相手の介護をしないことは、正当な離婚理由になりえます。つまり、その女性の思惑がどうであろうと、結婚すれば、彼はその女性に大事にしてもらえるし、孤独でもなくなるのです。

それなのに、子供の反発を恐れて結婚をあきらめるというのは、まったくもってバカバカしいことだといわざるをえません。子供に嫌われて孤独になるのを恐れて、よけい孤独に陥っているのです。

一生懸命築いてきた財産があるのに、それを活かせないどころか、それがあるためにかえって不幸になっています。私はこれを、「金持ちパラドックス」と呼んでいます。

欧米のお金持ちなら、自分のお金をあてにしてくる子供に頼ろうとするよりは、むしろそのお金を活かして、自分が選んだパートナーとともに自分自身の幸せを追求することを選ぶでしょう。そのほうがよほど健全だと私は思います。

「孤独を楽しむ」かどうかはともかくとしても、孤独感や不安感に襲われることからはラクになったほうがいいし、それによって人生の幸福度が上がることは確かです。

一人になったときの予行演習をしておく

プロ野球の選手や監督として活躍した野村克也さんは、晩年に妻の沙知代さんに先立たれると目に見えて衰弱し、その後2年あまりであとを追うように亡くなりました。

あれほどパワーのあった人でさえ、配偶者を失ったとたんに弱りきってしまったのです。それだけ夫婦仲が睦《むつ》まじかったともいえるでしょう。体が衰弱していたと報じられていましたが、高齢者の場合、うつ状態で食欲不振になると如実《によじつ》に体が衰えます。孤独に対するリスクヘッジのようなことが、もしかしたらできていなかったのかもしれないとも思います。

高齢になって、現実に一人で暮らすようになる前から、孤独の楽しみ方を少しずつ覚えておくのがいいのではと思います。たまに一人で過ごす時間をつくり、書斎にこもって本を読む、ユーチューブでバカバカしい動画を見る、オンラインで囲碁や将棋の対局をするなど、楽しいと思う過ごし方を見つけてみてください。

高齢になるほど、「孤独にだけはなりたくない」「認知症にだけはなりたくない」など、予期不安的な発想が強くなります。でも、「認知症にだけはなりたくない」と思っていたとして、いざ認知症になっても初期のうちは自分では気がつかないことが多いし、かなり重くなれば、自分がボケていることさえ認識できなくなります。

そう考えると、認知症になったことで本人が苦しむ時間はそれほど多くないともいえます。不安に思っていたのに、実際になってみるとそうでもない、ということは案外多いものです。

日本人のよくない点の一つは、予期不安が強いわりに、**実際にそうなった場合の対策を立てていない人が多いこと**です。

たとえば、「がんになりたくない」と言って、しょっちゅうがん検診を受けている人はよくいますが、実際にがんになった場合にどの病院に行くかを決めている人はほとんどいません。「ボケたくない」と言っている人が多いわりには、認知症になった場合に、介護保険をどう申請して、どんなサービスを受けられるのかを調べて把握している人や、どの老人ホームに入るかを決めている人はめったにいません。

予期不安でビクビクして生きるくらいなら、**もしそうなったらどうなるのかを「予行演習」してみたほうがいい**と思います。

たとえば孤独の予行演習として、一人で旅をしてみるとか、ウィークリーマンションを1週間借りて一人で暮らしてみるとか。不安に思っていることが、実際にどの程度のものなのかを体感しておくと、「もしそうなったとしても大したことはない」と思えるようになります。それが、自分自身の余裕を増やしてくれます。

第3章

常識に縛られない、おもしろい老人になろう

物知り老人＝賢い老人ではない

歳をとっても賢い人でありたいと思い、知識を蓄えるために熱心に本を読んでいる高齢者がよくいます。日本では長いあいだ、物知りな人が賢いとされ、もてはやされてきました。実際、メディアが未発達だった時代には、人生経験が豊富なぶん、いろいろなことを知っている高齢者が、賢い「村の長老」として尊敬されていました。

その風潮はいまも残っていて、テレビのクイズ番組で好成績をあげる物知りな芸能人は、「賢い人」というイメージをもたれます。

しかし残念ながら、時代は変わりました。物知りな人が、いくら得意げに「みんなが知らない知識」を披露しても、目の前の相手が手のなかのスマートフォンで検索すれば、はるかに詳細な情報が瞬時に出てきます。そんな時代になり、もはや物知りの価値は暴落しています。

認知心理学においては、知識が多いほど「頭がいい」わけではなく、その知識を使って推論できることが頭のよさであるとされています。つまり、知識そのものよりも、知識を加工して新しい考え方を生む、その加工能力が重視されるのです。

あまりにも知識が乏しいと、それを加工して生まれるものも限られてしまうので、**物知りであるに越したことはないのですが、それ以上に大事なのが知識を加工する能力です**。要するに、クイズ番組で強さを見せる高学歴のお笑い芸人が、本当に「頭がいい」のなら、それだけの豊富な知識を加工して、おもしろい漫才なりコントなりができているはずでしょう。

歳をとっても「頭のいい人」でありたいのなら、たとえば、テレビのニュース解説などに対して、「そうだったのか」と納得して終わらせず、そこで斜にかまえていかに人と違うことが言えるかを考えてみるのです。知識をそのまま鵜呑《うの》みにするのではなく、自分の頭で考え、ときにはいちゃもんをつける感覚で自分の意見を述べる習慣をつけることが大事です。

テレビを観ながら、ニュースキャスターやコメンテーターが言うことに対して、あれこれいちゃもんをつけている高齢者が昔はよくいましたが、最近はあまり見かけなくなりました。ほとんどの人が素直に「そうだったのか」と頷《うなず》いているようです。でも、それでは、当たり前のことしか言えない人になってしまいます。

常識的でないことこそが高齢者のおもしろさ

歳をとるほど常識的なことを言いたがる傾向がありますが、当たり前のこと、常識的なことを言っているかぎりは「おもしろい老人」にはなれません。常識的、あるいは道徳的な高齢者こそが「品のある人」だと思われがちですが、私にいわせれば、それは「ただの人」です。

あとで述べますが、私が常識にとらわれることなく生きている老人のイメージとしているのが、タレントの高田純次さんです。この高田さんが、毎日放送「情熱大陸」（2015年7月放送）でこんなことを話していました。

「歳とってやっちゃいけないことは『説教』と『昔話』と『自慢話』」

けだし名言というべきです。

「年寄りの説教はおもしろくない」と若い世代に煙たがられるのは、高齢者が、言わなくてもわかっているようなことを言うからです。同じ説教でも、たとえば瀬戸内寂聴さんの説教はほかの人と違うことを言っていたから、多くの人が聞きたいと感じたのです。

歳をとるということは、いまさら常識に縛られる必要がないということです。さらにいえば、常識的でないことこそが、高齢者のおもしろさでもあります。ただこれは、非常識な老人になれと言っているわけではありません。

テレビの情報番組のコメンテーターには、いかにも賢そうに見えて、よく聞くと常識的なことしか言っていない人もいます。一方で、支離滅裂に見えても他人と違うことを言おうと努力している人もいて、そういう人の存在感はやはり際立っています。

毒にも薬にもならないような、たんに物知りなだけの高齢者をめざすより、「みんなはそう考えているかもしらんけど、こうなんやで」と言える、誰とも違う見方をする「おもしろい高齢者」をめざしたほうが、魅力的だといえるのではと思います。

そのためには、**自分の頭で考え、人が言っていないことを探す必要があります。**

たとえば、高齢者がみんな新型コロナを怖がっているなかで、「そうは言うけど、去年はインフルエンザで自分が知っている範囲だけで二人も亡くなっている。年寄りにとってはどんな病気だって命取りになる確率は高いのだから、コロナが特別怖いとは思わない」と言ってみるというのが一例です。

聞いた人のなかには反発もあるかもしれませんが、「この人はおもしろい」という印象を与えると思います。

あるいは、戦争について考えてみましょう。「日本も、戦争を仕掛けられたら抗戦できる力をもつべきだ」という論調に対して、戦争を実際に経験し、空襲被害を受けた高齢者のなかには、「戦争の悲惨さを経験したこともないのに、軽々《けいけい》に言うな」と言う人が多いのは事実です。

でも、そこで、「憲法9条を盾に、平和平和の大合唱をしているだけでは国が滅びる。そうなったら、ウクライナの市民のようにおれたちが最前線に立って戦ってやるよ」「若い人が犠牲になるくらいなら、おれたち高齢者が盾になってやる」などと言って、平和ボケした日本に一石を投じてみてはどうでしょう。

実際、私の長年の担当編集者は、有名な老評論家に、「若い人の代わりにおれたちが死んでやる」と言われて、感激して泣いていました。

いま、日本を戦争ができる方向に進めようとする政治家の一族に、先の大戦で戦死した人が一人でもいるでしょうか。明治時代までは、特権階級の子弟も戦争に行っていましたが、ある時期から、そうした一族の人たちはせいぜい内地勤務で、戦死することは少なくなりました。

陸軍大学校や海軍大学校の出身者も二世や三世が多く、彼らは多数の兵を前線に送り、特攻隊を出撃させておきながら、みずからは戦地に赴くことなく命を惜しみ、自分たちのいる作戦本部をどんどん後退させていきました。

死ぬのが怖い人たちが戦争を進めれば、負けるのは当然の成り行きです。近年、アフガニスタンでイスラム主義組織のタリバンが復権し、さらに過激派組織のイスラム国が勢力を拡大していますが、彼らは宗教的な信念により、基本的に死を忌避《きひ》しません。そして、死を恐れずに戦う勢力を根絶やしにすることは不可能です。

その意味でいえば、日本の軍の上層部が死を恐れず、本当に「一億総玉砕」のつもりで本土決戦に突き進み、山岳ゲリラとなって戦いつづけることを選んでいたら、いずれアメリカがあきらめるかたちで日本が勝っていたかもしれません。

歴史をふりかえると、アメリカは朝鮮戦争には勝利しておらず、ベトナム戦争にいたっては負けています。このような例を見るかぎり、アメリカ本土で被害がなくても、派遣した兵士に一定数以上の戦死者が出た時点で、戦費の支出を議会が許さなくなるため、戦争の続行が不可能になって敗戦（撤兵）を選んだのです。対日戦争でも、日本が徹底抗戦してアメリカ国民や議会に厭戦《えんせん》ムードが広がれば、そうなっていたかもしれません。

とはいえ、もしそれで勝ったとしても、日本は取り返しがつかないくらいぼろぼろの国になっていたことでしょう。その意味では、軍の上層部が死を怖がる人ばかりだったのは、日本にとって運がよかったといえます。

そんなことをつらつらと考えてみてもいいと思います。どんなことでもかまわないのですが、ありきたりではない話、おもしろい話をすることを意識しましょう。

「これを知らないと恥ずかしい知識集」などというものを必死に読んでいる人もいますが、「知らないと恥ずかしいこと」とは、すなわち「誰でも知っていること」であって、そんなことを知る必要があるとは思えません。それを知れば、ほかの人と違うことを探す参考になるかもしれませんが、そんなことに時間を使うくらいだったら、人が言っていないことをどう探すかを考えたほうがいいでしょう。

ユニークな発想を生み出すのに学歴は関係ない

「学歴が高い人は、学んできた知識や教養が邪魔をして、自由な発想ができない傾向がある。むしろ学歴が高くない人のほうが、発想がユニークで思い切ったことができる」という意見を耳にすることがあります。

たとえば、日本を代表する経営者、成功者であるパナソニックグループ創業者の松下幸之助さんは尋常小学校4年で中途退学、日本電産創業者であり会長兼C

EOの永守重信さんは職業訓練大学校（現在の職業能力開発総合大学校）卒、キーエンス創業者の滝崎武光さんは県立の工業高校卒です。彼らのような人たちを見ると、「学歴が邪魔をする」という面はたしかにあるのだろうと思います。

でも、**学歴が高くない人の発想が必ずしもユニークかというと、そうとはいえません**。「高学歴の人はおもしろみがない」などと言われがちですが、**学歴が高くない人でも、常識に縛られているかぎりはおもしろくない**のです。

テレビのニュース番組で、芸能人がコメンテーターをしている国は、世界的に見ても日本くらいです。彼らの多くは高学歴ではありません。彼らが「学歴に邪魔されていない人」なりの、かなり尖ったコメントをするのであれば、彼らを起用する意味や価値はあると思います。

たとえば、「コロナは怖い」と煽《あお》る報道一辺倒だった時期に、芸能人のコメンテーターが、「コロナなんて、ただの風邪じゃないですか。コロナで子供はまったく亡くなっていませんよね」とでも言うのなら、その意見の是非はどうあれ、その人がその場で発言する意味はあります。
しかし、そこでほかの出演者と一緒になって、「コロナは怖いですね」と言っているだけなら、何のために出演しているのかわかりません。それなら専門家といわれる人が出てきて、統計数字をもとにコメントしてくれるほうがまだいいと私は思います。

常識に縛られていると、学歴にかかわらずおもしろいことはいえません。言い換えれば、**常識に縛られなければ**、**学歴は邪魔にはならない**ということです。前述の永守さんや滝崎さんのような人は、学校で勉強してきたことに縛られていないからユニークな発想ができるのだと思います。

常識に縛られずに、国力を増強した二人の人物を紹介しましょう。それはトルーマンとヒトラーです。

20世紀以降のアメリカの大統領で、唯一、大学を出ていないのはハリー・S・トルーマンです。彼は第二次世界大戦後の米ソ対立のなかで、国力増強のため、富裕層の所得にかける税金の最高税率を91パーセントにまで引き上げました。

経済学者からすればとんでもない政策ですが、彼は「とにかく、とれるところから税金をとろう」というシンプルな発想でそれを実行しました。すると、企業の経営者たちは、会社の利益を自分の懐《ふところ》に入れても税金でもっていかれるだけだと思い、従業員に気前よく給与を払うようになったようです。

その結果、労働者の生活水準が上がり、アメリカは一気に中流社会になりました。どの家にもテレビや車や冷蔵庫がある、当時の日本人があこがれた「豊かなアメリカ」が出現したのです。この時期に、アメリカのゼネラル・エレクトリックやフォードなどが、世界的な大企業へと成長しました。

戦争後は戦勝国であっても不景気になるのが普通ですが、トルーマン大統領時代のアメリカは異例と呼べる経過をたどりました。経済学者のケインズによる「所得を貧しい人に再分配すると、総需要が増える」という説を、はからずも実証するかたちとなったのです。

前任のフランクリン・D・ルーズベルト大統領は、1930年代に世界恐慌を克服するため、ケインズ経済学に素直に沿うかたちでニューディール政策を行いましたが、結果的に景気はそれほど上向きませんでした。このときは、富裕層が富を独占する構図は変わらず、貧富の差が大きいままだったからです。

富裕層がお金を独占しているかぎり、国は豊かにはなりません。そのことに気づいていた為政者の一人が、意外にもあのアドルフ・ヒトラーです。

彼は高速道路網のアウトバーンを建設するにあたり、工事費の46パーセントを人件費にあてることを法律で規定しました。公共事業は建設事業者などを儲けさせるものではなく、末端の労働者にお金が行き渡るものでなければ、景気がよくなるはずがないということを認識していたからです。

そして、第一次世界大戦の賠償金にあえぎ、ヨーロッパの最貧国レベルだったドイツを、その支払いを拒否し、これらの政策を行うことで、1933年に政権を掌握してから5年ほどで、ヨーロッパでもっとも豊かな国に押し上げました。

大学を出ていないトルーマンや、正式な学歴としては小学校しか出ていないヒトラーが、高学歴な政治家よりも経済面で有効な政策を打つことができていた（もちろん、ヒトラーのほうは学歴がなかったためか、モラルがなかったために、あのような戦争に陥ったのですが）。それは、彼らが経済学などの常識に縛られていなかったからだと思います。

高学歴な人が「つまらない」と言われる理由

日本で高学歴な人ほどおもしろい発想ができないと言われがちなのは、大学教育に問題があるからだと私は考えています。

日本も含めて世界のほとんどの国で、初等教育および中等教育は基本的に知識を教え込む「詰め込み教育」です。１９６０年代から80年代にかけて、世界的に詰め込み教育を見直す動きが広がりましたが、結果的に深刻な学力低下などが起こり、ふたたび詰め込み教育に回帰した経緯があります。

しかし、日本ではその流れに逆行するように、１９８０年以降小中学校のカリキュラムは減らされつづけ、とくに２００２年の学習指導要領で、いわゆる「ゆとり教育」が行われるという異常な事態となりました。

でも、大学教育は、日本と海外ではまったく違っています。海外の大学では、高校までに一方的に詰め込まれるかたちで学んできたことを疑う、あるいは覆すために、ほかの学生や教授を相手に議論を重ねようとします。それが海外の大学教育です。

ところが、日本では、大学に入ってからも教授が言ったことを必死にノートにとり、試験でそのとおりのことを書けばいい成績がもらえます。**一方、海外の大学でいい成績をとるのは、教授の言うことに反論し、その説を覆してみせる学生**なのです。

入学試験の面接でも、日本ではその大学の教授が面接を行いますが、海外の大学では、学生募集の専門部署であるアドミッション・オフィスの面接の専門官が面接を行い、教授に刃向かいそうな学生をあえて選びます。だからこそ、ノーベル賞級の革新的な成果をあげる研究者が生まれるのです。

日本人の研究者でノーベル賞を受賞しているのは、基本的に「上に逆らう」経験をしたことのある人です。

島津製作所の田中耕一さん、旭化成の吉野彰さん、日亜化学工業にいた中村修二さんなど、日本のノーベル賞受賞者に企業研究者が目立つのは、日本では、大学よりも企業のほうが研究環境の自由度が高いからです。企業研究者以外のノーベル賞受賞者は、海外に留学して、上の立場の人と喧嘩《けんか》する経験をしている人たちです。

ちなみに、東大からは4人のノーベル物理学賞受賞者を輩出していますが、東大の理学部物理学科では、学生に教授を「先生」とは呼ばせず、「さん」で呼び合うなど、対等の立場で議論させます。

上の人間の言うことを聞いているかぎりは優れた研究などできないという、当たり前のことを認識しているのは、東大のなかでも物理学科だけなのです。

一方、入学時は偏差値がいちばん高いのに、教授が絶大な権力をふるっている日本の医学部出身者でノーベル生理学・医学賞を受賞した一人が、山中伸弥さんです。山中さんは海外に留学したあと、大学医学部の医局では十分な研究環境が得られないため、奈良先端科学技術大学院大学に移って研究に打ち込み、ノーベル賞の受賞にいたっています。

日本人は上に逆らうとか、自分の頭で考えるといった経験を、少なくとも大学教育まではほとんどしていない、世界的に見てもめずらしい国民です。

海外では、大学や大学院を出ている人のほうが自由な発想をもてるのに対して、日本の場合はどこの大学に入ったとしても自由に頭を使わせてもらえないので、高学歴な人ほど発想力が乏しいなどといわれることになるのだと思います。

いまの高齢世代は、社会に出てから自由に考える、議論するといった経験が乏しいまま過ごしてきた人が多いのではないかと思います。それは職場の環境などによるところも大きかったと思いますが、そこから解き放たれたいまこそ、常識にとらわれない「おもしろい人」になれるチャンスだといえるのではないでしょうか。

知識に経験を交えながら議論する

２０２０年に96歳で亡くなった英文学者の外《と》山《やま》滋《しげ》比古《ひこ》さんと、晩年に雑誌で対談させていただく機会がありました。「高齢者の勉強法」というテーマだったのですが、彼はのっけから「年寄りは勉強なんかしたらダメだ」と、バッサリ切り捨てていました。

いまや「知識人」という言葉は死語になりつつあります。これからの時代は「知識人から思想家になろう」と私は提言していますが、彼も同じ考えでした。

たとえば、本を読んで勉強するということは、既存の知識をインプットするということでしかありません。そして既存の知識はいまや、ほとんどが手のなかのスマートフォンにあります。いくら勉強して既存の知識をインプットしたところで、それだけでは新しいものは生まれません。

知識をインプットする勉強のかわりに、彼が何をしていたかといえば、週に2、3回、「口の悪い老人」を集めて、みんなで議論していたそうです。それが彼にとっての「高齢者の勉強」ということだったのだと思います。**議論する、つまり知識を加工し、「自分の考え」としてアウトプットする――これを意識して行うことが、「賢い老人」になる有効な方法です。**

議論するのは、どんなことでもかまいません。「世間ではこう言われているけど、それってどうなの？」ということについて議論すると、ユニークな高齢者になれるのではないかと思います。ニュースを見て、当たり前の感想を言っているだけでは議論になりません。

たとえば、単身の高齢者が起こした凶悪事件について、「あんなことをするなんてひどいやつだ」と言い合っていてもしかたありません。そこで、「高齢者が孤独感によって追いつめられる問題を、どうやったら解決できるのか」というところから議論を始めます。何が正解とはいえないことなので、どんな意見でも出し合えます。

「高齢者が毎日通って、みんなでわいわい話せる巨大銭湯を地域ごとにつくったらいいんじゃないか」

「そうすれば、病院通いをして待合室でおしゃべりする必要がなくなるから、高齢者の医療費もだいぶ減らせるかもしれない」

という調子で、考えたことをどんどん話題に上らせていきます。

歳をとっているということは、これまでに学んできたことや経験がそれだけあるということです。いろいろなことについて、**知識をそのまま話すのではなく、自分たちの経験に溶かし込んで話せるのが、高齢者の価値であり強みです。**

たとえば、「格差がない社会は、競争意識が失われるため、人は働かなくなる。だから格差は必要だ」という論調に対して、「そうは言うけど、〝一億総中流〟だったころの日本人のほうが、よほど勤勉に働いていた。マラソンでも、自分の前を走っている人の背中が見えるうちは、追いつこうとして必死に走れるが、差がつきすぎて完全に見えなくなると、とたんにスピードが上がらなくなる。格差が小さいほうが、むしろ人は働くかもしれない」

と、かつての時代を知る人間が言えば、説得力が生まれます。

自分たちの経験を上手に交えながら議論し、「そうは言うけど、こうも考えられる」と言えるのが、高齢者のたしなみというものです。

俗説や通説と戦う姿勢をもとう

「○○さんの本にはこう書いてあった。だからあなたの意見はまちがっている」

などと、ある一つの説を根拠に、それ以外の説は正しくないと決めつけるのはまったくナンセンスです。

私は10年ほど前から、本の読み方が変わってきました。それまでは、いろいろな事象について正解と思えることを求めて本を読んでいました。

たとえば、フロイトよりもコフートの精神分析が正しい、ケインズなどの古典的な経済学より行動経済学のほうが正しい、といった「正解」を知りたくて勉強していたのです。

でも、最近では、どれが正しいかではなく、「いろいろな説もある」と、ほとんどの説を受け入れられるようになりました。

精神科医をしていると、たとえば大きな事件が起こったとき、犯人はいったいどんな人物なのか、パーソナリティの分析をメディアなどから求められることがあります。聞くほうとしては、明快に「こんな人です」と一つの答えを提示してほしいのでしょうが、そこで最低でも10種類くらいの可能性をあげられるのが、本当のプロです。

精神科医が診療の現場で、「この人はこんな人」と一つの答えを出すのは、患者さんに対する決めつけにほかなりません。実際にカウンセリングをするときは、患者さんの話を聞きながら、相手がどんな人なのか、想定される可能性を10通りほど考えます。

そして、話が進むうちに、そのなかから「これはない」と思われるものを除外していき、可能性がしぼられていきます。したがって、最初の段階でいろいろな可能性を考えられるほうが、より適切な診療ができるのです。**一つのことに対して、「これが正しい」と決めつけることなく、いろいろな可能性を考えられる人のほうが、人間の幅が広く見えます。**

本を読むなど、インプット型の勉強を完全に否定するつもりはありません。どれほど歳をとっても、新しいことを知る喜びは確実にあります。ただ、その**インプットの喜びだけで終わってしまってはもったいない**と思います。

たとえば、経済の本を読む場合、ただ新しい知識をありがたがって受け取るのではなく、「こんなふうに理屈どおりにいくかいな」と反論を試みるために読んでみてはいかがでしょうか。いちゃもんをつけながら、著者を論破してやろうというくらいのつもりで読むほうがいいと思います。

作家の百《ひゃく》田《た》尚《なお》樹《き》さんや、漫画家の小林よしのりさんは、かなり極端な持論を展開し、**SNS**（ソーシャルネットワーキングサービス）上などでたびたび炎上騒ぎを起こしています。私は彼らの意見には必ずしも同調しているわけではありませんが、彼らの「戦う姿勢」には好感をもっています。

俗説や通説と戦う姿勢をもつのは、とても大事なことです。疑問に思うことについて、インターネットも駆使していろいろ調べてみると、戦うための材料が手に入ります。そんなふうに、理論武装するためにインプット型の勉強をするということもあっていいと思います。

ウヨク老人もサヨク老人も柔軟さが大事

高齢になると、頑固な人が意固地になる、疑い深い人が妄想的になるといったように性格が先鋭化し、思考の硬直化が進みやすくなります。その結果、もともと左翼的な考えだった人がゴリゴリの左翼になったり、右翼的な人がゴリゴリの右翼になったりするという現象がよく見られます。

私は、そのどちらがよくて、どちらがよくないと言うつもりはありません。身内を戦争で失っているなど、リアルな体験から「戦争はいけない」という思いをもつのは至極当然のことで、それを伝えるのは何も悪いことだとは思いません。

一方で、戦前の日本が全否定されがちなことにとても違和感を覚えます。以前、作家の三浦朱門さんが、日本の歴史教科書には日本の偉人についての記述が少なすぎると言っていましたが、これは事実だと思います。かつての日本は、こんなにいい国だったとか、こんな偉人がいるんだということを語り伝えるのもまた、高齢者の役割ではないかとも思います。

実際、大正時代の日本はかなり理想的な国だったのではないかと、私も思うことがあります。大正天皇が帝国議会の開院式で勅書をくるくると丸め、それを遠眼鏡のようにして周囲を見渡していたという噂が、当時、一般庶民のあいだに広まっていたといわれています。この話の真偽には諸説ありますが、私が子供のころ、明治生まれの祖母からこの話を聞いたことがあります。このことから、この話が庶民のあいだに相当広まっていたことは確かなようです。

もし、当時の日本が、一般に考えられているような天皇の独裁であったなら、その類いの噂は厳しく取り締まられ、誰もおいそれと口にすることはできず、したがって広く流布《るふ》することもなかったはずです。

それが子供でさえ普通に噂していたということは、少なくともそれが許される程度には世の中が自由な空気に覆われていたということです。たとえば、同時代のイギリスでは、国王について同種の噂が公然と広まることは考えにくかったはずです。その意味では、大正デモクラシーは本当にデモクラティックな社会を、ある程度、実現させていたといえるでしょう。

右の人と左の人、どちらにもそれなりの言い分があります。右寄りの雑誌と左寄りの雑誌のどちらを読んでも、それぞれに言いすぎと感じられる論調がある一方で、納得できることも書かれています。

問題なのは、いったん右になると右の意見、左になると左の意見しか聞かなくなることです。せっかく長く生きてきたのに、知恵がうまく働いていないように感じます。**これが絶対に正義だとか、あるいは絶対に悪だといえるものは、世の中にはそうそうありません。**

「脱原発すべきだけど、電力が不足すると困るから、事故を起こさないかぎりは原子力発電を容認する」と言う人や、「右を自認しているけど、日本人が貧しさや飢えに苦しむのは許せないので、福祉だけはしっかりやってもらわなければいけない」と言う人がいてもいいと思います。

いまの日本では、かなり左の立場であっても、天皇陛下を追い出せとか、共産主義革命を起こそうと考えている人は、過激派を除けばまずいません。日本共産党でさえ「憲法を守れ」と言っているのですから、象徴天皇制を否定していないことになります。

一方で、人工妊娠中絶を行っているクリニックが、保守派の団体に襲撃されるといった事件がめずらしくないアメリカなどとくらべれば、極端な考えをもつ右の人もずっと少ないといえます。

つまり、右と左の距離はそれほど大きくないのに、双方がほとんど歩み寄ろうとしないのがいまの日本の状況です。そこで**右の人と左の人、どちらに対しても、「そうは言うけど」と言えるのが、酸いも甘いも噛《か》み分けた高齢者です**。

たとえば、中国が嫌いで「あんな国とはつきあうべきではない」と言っている人に対して、「そうは言うけど、資本主義の世の中ではお客さんは神様なのだから、多少は頭を下げるのが商売人の基本のように思うけど」と言う。

あるいは、原子力発電は許せないから、環境のために太陽光など、再生可能エネルギーをどんどん増やせと主張している人に、「そうは言うけど、太陽光パネルの廃棄の際に、相当な環境破壊が起こるし、水力発電の水位を上げすぎると水害も起こりやすくなるというデメリットもあるよ」と言う。

私が高齢者に期待したいのは、そんなふうに右と左のあいだの「適度な落としどころを見つける」とか「ある方向の議論がいきすぎないためのお目付役」のような役目となることです。高齢者が見つける〝落としどころ〟は、聞く人にとって納得感があるからです。同じことでも、高齢者に言われると、「人生経験のある人が言うなら、そうなんだな」と、ストンと納得できるところがあります。

人生経験が豊富で、思考の幅が広い人がすてきな高齢者だ、と私は思います。歳をとっても自分の主義主張がブレないというのは、それはそれで結構なことだと思いますが、ブレないことにこだわりすぎると、ほかの意見が受け入れられなくなったり、自分自身の思考の自由を奪うことになったりします。

自分の信念があって、結果的にブレないのならいいのですが、ブレないことが先にあって、そこに信念を後づけするのはおかしいと思います。

私たちの世代が学生だったころから、学生運動は衰退していきました。でも、その後も新左翼活動家が跋扈《ばっこ》するなか、そういう若者に対して、高齢者が「君たちは青いな」と言っていたのです。長年、現実を見てきている人たちが、「そう理想どおりにいくものじゃないよ」と、若輩者《じゃくはいもの》に達観した視線を向けていました。

それがいまでは、むしろ逆になっているように見えます。サヨク高齢者やウヨク高齢者に対して、若い世代が「年寄りは頑固だな」と冷めた視線を向けているのです。それはさすがに格好悪いという気がします。

歳をとるにつれて、サヨク高齢者とウヨク高齢者に分かれていきがちですが、品位があるのは、左と右のどちらであっても、それなりの柔軟さをもつ「柔軟高齢者」ではないでしょうか。

第4章
お金や肩書への執着を捨てる

歳をとるとお金は思うほどあてにならない

若いうちは、お金の力を実感できる場面は多々あります。単純に欲しいものが手に入るだけでなく、「お金がある」ことそのものが魅力となって、人を引き寄せます。

でも、歳をとると、お金があるからといって必ずしも人が寄ってくるわけではありません。**歳をとっても人が寄ってくるのは、話がおもしろいとか、人としてどこか見習う点があるなど、周囲からすてきだと思われているような人です。**

どれだけお金があっても、ケチだと思われたら、人は寄ってこなくなります。出資を頼もうとする人も、相手がケチでお金を出さないとわかれば近寄らなくなりますが、歳をとっても気前よく出資してくれる人のところには集まってきます。

そもそも、お金のにおいをかぎつけて寄ってくる人は、タチがいいとはいえません。一般的に、判断力が低下していると見なされている高齢者のもとに、お金があるというだけで近寄ってくる人がいるとすれば、それはほぼ例外なく詐欺師です。その被害にあって、みすみす損をするというケースは少なくありません。

しかしながら、そうした詐欺めあてではなく、たとえば、価値の高い美術品を買いまくって、それを見比べるとか、世界中からめずらしい食材や、人が飲んだことのないようなワインを集めて、1回の食事に数百万円かけてグルメを楽しむといったお金の使い方をしているうちに、「この人のウンチクを聞きたい」という純粋な好奇心から人が寄ってくる、ということはもしかしたらあるかもしれません。

でも、たいていの場合は、歳をとるにつれて、お金をもっていればいるほどいいとはいえなくなってくる、むしろ、お金があるほど虚しくなってくる確率のほうが高いのではないか、と私は推察しています。

というのも、お金をもっていれば、周りの人が言うことを聞いてくれるかといえば、そうでもないからです。歳をとると、自分のお金であっても子供が口出しをして、自由に使わせてもらえなくなることがあります。

かなり資産のある高齢者が、それを使って高級老人ホームに入居しようとしたところ、遺産が減るからでしょうが、子供たちに反対されて断念したという話も聞きます。

歳をとると、思ったほどお金があてにならないということに気づくと思います。

70代くらいまでは、まだお金の力はそこそこ有効かもしれません。それでも80代後半を過ぎて、認知症を理由に成年後見人がつくことにでもなれば、自分で財産を処理する権利さえ完全に失います。

周囲に安心感を与えられる存在になる

高齢者専門の浴風会病院に勤めていたとき、私が担当していた入院患者に、かつては大臣の地位にあったという人がいました。その人のもとには、誰もが知る当時の大物政治家が何人か、見舞いに訪れていました。おそらくその人の世話になっていたのでしょう。

そのうちのＡさんは、一度見舞いに来て本人が認知症であることがわかると、それきり訪れなくなりました。一方、Ｂさんは、その後も頻繁にお忍びで訪ねてきていました。いまは何の地位も権力もなく、自分のことを覚えてさえいないかもしれない相手に何度も会いにきていたのです。

もし、利害関係だけの結びつきであったのなら、そこまですることはまずないでしょう。実際、そのような関係性だったと思われるＡさんは、二度と訪れることはありませんでした。このとき、Ｂさんが義理堅い人格者であることがわかると同時に、その元大臣がＢさんから本当に慕われていたこともよくわかりました。

利害関係によるパワーではなく、その人自身の人間味やオーラのようなものがど

れほどあるかが、ものをいうのだと思います。

周囲の人にずっと慕われつづける人、尊敬されつづける人というのは、昔は身近にもたくさんいたと思います。

たとえば、学校の先生は、かつてはいまよりもずっと尊敬される存在でした。経済的な事情で旧制中学に進めなかった村一番の秀才が、学費のかからない師範学校を出て先生になるというパターンが多く、先生といえば地域のなかで特別に賢いとされる人たちで、生徒から一生慕われつづけることはめずらしくありませんでした。

また、私が子供のころは、医師もいまよりもっとオーラのある存在だったような気がします。血液検査もせず、聴診器を当てて、顔色を見るだけで「大丈夫」と言う。それだけで患者さんを安心させてくれるようなところがあったと思います。

この「安心感を与える」というのは、重要なポイントです。たとえば、精神科の診療では、医師に「必ず治る、大丈夫」と言われることで患者さんの気分が前向きになり、治療の効果が上がりやすくなるといわれています。私も長く通ってくる患者さんから、「先生の顔を見るだけで安心する」と言われたりすると心からうれしくなります。

少なくとも**自分の周りの人に安心感を与えられる人、慕われる人になることをめざすのは、高齢期になってからでも遅くはありません。**

スーパーボランティアとして注目された男性は、もともとボランティア活動家だったわけではなく、54歳でボランティア活動をはじめ、65歳で仕事をやめてから本格的にボランティア活動に取り組んでいます。それから10年以上活動を続けているうちに、その熱意や本気度が周囲に伝わり、尊敬される存在になっていったのだと思います。

たとえば、書や俳句など、趣味的なことでもいいので、いまから何かを始めれば、さらに人間的な豊かさや深みが生まれ、人を惹《ひ》きつけるようになるということ

もありうると思います。

高齢だから味わえる自由な仕事選び

私が精神分析を勉強しはじめたとき、ある先生からこう言われました。

「この仕事はいいよ。学会に行っても70歳過ぎの人がいっぱいいるし、歳をとるほど理論が深まって評価が上がることが多いから、一生楽しめるよ」

実際、精神分析の創始者であるフロイトは、当時としては長命で83歳まで生きた人ですが、最晩年まで患者の分析治療や執筆活動をしていたといいます。

その娘で同じく精神分析家のアンナ・フロイトは86歳、彼女に影響を受けたアメリカの心理学者で、「アイデンティティ」という概念の提唱者として知られるエリク・H・エリクソンは91歳まで生き、いずれも長く活動していました。

私が学んだアメリカのカール・メニンガー精神医学校の創設者である、精神科医のカール・メニンガーは、97歳で亡くなる数カ月前まで患者さんを診療していました。

私自身も実感していますが、精神科医は長年やっているほど、患者さんからの信頼度も、治療する能力も高まります。精神科にかぎらず、医師は本来、歳をとればとるほど腕が上がって当然の職業です。

精神科医の仕事は90歳になってもできます。でも、90歳になっても大学の医学部教授でいることは、日本の場合はできません。

組織の役職としての仕事は、ある一定の時期がくれば辞めなければなりません。つまり、肩書で考えれば、多くの人の仕事人生は50〜60代をピークに終わりを迎えます。でも、**能力で考えれば、自分自身が続けられるかぎり仕事人生は終わることはなく、ピークももっとあとにくる**かもしれません。

会社員の場合、60歳（２０２５年以降、65歳）で定年を迎えれば、昨日まで部長だった人が一気に何の肩書もない人になります。年功序列で上昇していけるのは60

歳までの話であって、そこから先の人生は実力主義です。そこでは、残っている能力をどう活かし、どう人の役に立つことをするかを考えることが大事になるのです。

私は大学院で、この15年、臨床心理学の教員をしています。この大学院は大学の心理学科を卒業していなくても受験ができるということもあり、臨床心理学専攻には毎年2、3人ほど、定年退職後の人が入ってきます。

東京大学や一橋大学などを出て一流企業に勤めていた人も多く、会社でよく部下の相談に乗っていたとか、人事部で社員の心の問題に接していたという経験から、定年後に臨床心理士として仕事をしたいと考えるようになったという人がよくいます。

臨床心理士になるには、大学院を卒業後、合格率6割程度の試験に合格して資格を取得する必要があります。資格取得のハードルはそこそこ高いのですが、国家資格ではないこともあり、臨床心理士の年収は一般的に300万〜400万円程度で、さほど高収入とはいえません。

でも、年金も貯蓄もある定年退職後であれば、年収300万円でもとくに不自由はしないでしょう。20代そこそこの若い臨床心理士より、歳をとった人にカウンセリングをしてもらいたいと思う人は少なくないはずで、臨床心理士としても、この年代はむしろ向いているといえるかもしれません。

お金のことをあまり重視せずに仕事を選ぶことができるのは、リタイア世代の特権でもあります。いま、介護の仕事は人手不足といわれていますので、ある程度、体力があるなら、定年後や子育て、あるいは自分自身の親の介護を終えたあとに介護の仕事をするというのも、意義のある選択だと思います。

介護の仕事は、年収300万円台が中心です。業務内容のわりに年収水準が低いことが人材不足の要因ですが、定年後に始めるのであれば、年収にはあまりとらわれずにすみます。そして、年収にとらわれなければ、他人に深く感謝される介護の仕事のやりがいを、より強く実感できるのではないかと思います。

高齢になっても働きつづけることは、健康や長寿の面でもプラスであることは確かです。たとえば長野県のように、高齢者の就業率が高い県は平均寿命も長く、高齢者1人当たりの医療費も低い傾向があります。

ただ、「高齢者は働きつづけたほうがいい」というのは、どんなかたちであれ体を動かし、頭を働かせることを続けたほうがいいという意味であって、必ずしもお金をもらって仕事をすることだけを意味するわけではありません。ボランティアや趣味的な活動でもかまわないのです。

若いうちは、働く目的をお金や出世におくことが多くなりがちです。その場合、上司の言いなりにならざるをえなかったり、しなくてもいい妥協を強《し》いられたりと、ストレスフルな労働になりがちです。自分で自由に頭を使いにくいのです。

歳をとったら、労働に対する意識を多少なりとも変える必要があります。**自分にとってやりがいのあること、世の中のためになること、人の役に立つことのために働けるのが高齢期**です。

スーパーマーケットなどに行くと、会社をリタイアしてパートで働いていると思われる、高齢の男性スタッフを見かけることがあります。こちらが何か困っていたりすると、若いスタッフよりもずっと親切にてきぱきと動いてくれたりするので、とてもうれしくなります。

お金や肩書のための労働から解放される高齢期だからこそ、自由に働ける喜びと、そのことで誰かに喜びをもたらすことのできる幸せを、存分に味わえるのだと思います。

いつまでも現役の消費者でいよう

ずっと現役でいたいと望んでいる高齢者は多いでしょう。「老いと闘えるうちは闘う」という観点からも、可能なかぎり現役でいたほうがいい、と私も思います。

ただ勘違いしがちですが、**「現役」イコール「働きつづける」ではありません。**高齢者が働きつづけるのは大事ですが、同時に、「現役の消費者」でありつづけることも大事だ、と私は思っています。

なぜかといえば、高齢者が現役の消費者になることで、世の中を変えられる可能性があるからです。

たとえば、高齢者が自動車を運転して事故を起こすと、最近の風潮としては、免許の返納のことばかりが議論されます。でも、そればかりではなく、高齢ドライバーに向けた、車の安全装置の開発や販売、あるいは自動運転の普及を進めるチャンスと考えるべきです。やはり高齢者が多いスウェーデンに本拠を置く自動車会社ボルボなどでは、自動車の安全性や自動運転の機能をどんどん進化させているのに対し、日本ではあまり進んでいないのが現状です。

私が自動車メーカーの社長なら、高齢ドライバーができるかぎり免許を手放さずにすむように、「うちは○年以内に、絶対に事故を起こさない車をつくります」と宣言するでしょう。

いまは、ＩＴ（情報技術）の時代からＡＩ（人工知能）の時代への転換期です。ＩＴの時代は、人間がＩＴを使って何がつくれるかを考えないといけないし、ＩＴの使い方を身につけなければなりませんでした。ＡＩの時代は、ＡＩが人間のニーズを察して何をつくるかを考えてくれますから、消費者の要求水準が高い国ほどいいものがつくれるのです。

人口の多い高齢者が現役のドライバー、現役の自動車の消費者でありつづけることで、よりクオリティの高い車が生まれる可能性が高まります。また、海外も高齢化が進むので、そういう商品は国際競争力が高いといえるのです。

高齢者が現役の労働者である以上に、現役の消費者でありつづけることにはきわめて大きな意味があります。たとえば、いまファッション雑誌は50代以下に向けたものがほとんどですが、高齢者がファッションの消費者でありつづければ、70代や80代をターゲットにしたファッション雑誌が創刊され、雑誌業界自体も活気づくことになるかもしれません。

お金をもっているのに使わない高齢者が、日本にはたくさんいます。たとえば、**将来どこかに寄付をするなど、何か使う目的があってお金を貯めるのはいい**と思います。

でも、預金通帳の数字が増えていくのがうれしいとか、子供に1円でも多く財産を残したいとか、そんな理由でせっせと貯金をしたところで、結果的には、ただの「ケチ老人」としてあの世に行くことになります。

資産家を否定するつもりはありませんが、日本の不景気を考えると、お金を貯め込むだけで使わない人間は、私からすると害毒以外の何ものでもないと思います。**お金は使うために稼ぐものであって、貯めるために稼ぐものではありません。**

かつてのように、みんなが貯めたお金を銀行が企業に貸し、それで経済がまわっていた時代はともかく、いまは銀行がお金を貸す相手がなかなか見つからず、貸したとしても利息がろくにとれないので困っている状況です。銀行のATMで時間外にお金を預けようとすると、当然のように手数料をとられます。銀行がもはや預金などしてほしくないと思っている時代なのです。

誤解されがちですが、資本主義社会においては、お金をもっている人よりも、お金を使っている人のほうが偉いのです。いま中国の国際的な影響力が強くなっている最大の理由は、中国が世界でもっともお金を使う国になったからです。

ウイグルにしても香港にしても、中国の人権侵害についてそれほど強い経済制裁ができていないのも、北京オリンピックの際に実際のボイコットでなく、外交ボイコットという中途半端なかたちになったのも、欧米（とくにヨーロッパ）諸国が中国にモノを買ってもらえないと自国の製造業に大きな影響が出ると考えたからではないでしょうか。内需を縮ませるばかりのコロナ対策とあいまって、日本の不景気は、今後さらに深刻化するのではないかと心配しています。

いま、日本の個人金融資産は２０００兆円超にのぼり、そのうちの実に7割は60歳以上の人たちがもっているといわれます。高齢者が国に対していちばん役に立てることは何かといえば、それはお金を使うことにほかならないと私は思います。

「人間、死んでからだよ」

１９７１年に出版され、大ベストセラーとなった日本人論『「甘え」の構造』（弘文堂）の著者であり、精神科医の土居健郎《たけお》先生は、私の師匠にあたる人です。

30代のはじめにアメリカに留学していたとき、私は現地で週に5回、精神分析を受けていました。当時、日本で主流だった精神分析とは違い、患者の無意識を探るというより患者の心を支えるその精神分析に影響を受け、「共感の心理学」であるコフート心理学を学ぶようになりました。

同時に、土居先生の「甘え」理論が、アメリカで私が受けた精神分析と親和性が高いと感じ、日本に帰国後、土居先生に手紙を書いて頼み込み、土居先生の精神分析をしばらくのあいだ、受けさせてもらいました。

土居先生は、あまり政治力を求めるタイプの人ではなかったこともあり、日本の精神分析の世界で当時はやや冷遇されている状態でした。でも、本人はまったく意に介さず、自分の好きなことを書いて、患者さんと向き合うことを続けていました。そして、むしろ海外で高い評価を受けていました。

精神分析家は患者に対して、自分の本音を吐露《とろ》してはいけない、いかなる感情ももってはいけないという、精神分析の「禁欲原則」といわれるものがありますが、土居先生はアメリカの精神分析家と同様、あけすけな本音を私に話すことがよくありました。

精神分析を受ける側である私も当然、自分の本音を土居先生に話していました。早く有名になりたい。偉くなりたい。でも、なかなかうまくいかない。そんな赤裸々な思いも、たびたび口にしていました。

そんなとき、土居先生が口癖のように言っていた言葉があります。

「人間、死んでからだよ」

２００９年に89歳で他界した土居先生は、その当時70代後半で、すでに自分の死期を悟っていたのかもしれません。

土居先生は、精神分析学会の会長になりたいなどと考えることもなく、肩書を得ることや権力闘争には無頓着でした。それは、**生きているうちに肩書や名誉を得ることよりも、死んでから自分自身や自分の理論がどう評価されるかということのほうが、よほど大事だと考えていた**からだと思います。

30代だった当時の私は、その言葉を聞いてもまったくピンときませんでしたが、いまになってみると、そのとおりだなと思います。世俗の肩書のようなものよりも、自分が死んでからも読まれるような本を書けるのだろうか、自分が撮った映画のなかに、死んだあとも観てもらえるものが1本でもあるだろうかということのほうが、ずっと気にかかるようになりました。

２０１６年に公開された、「殿、利息でござる！」（中村義洋監督）という映画があります。江戸時代中期に、藩の重い年貢に苦しんでいた庶民が、藩にお金を貸して利息をとるという、逆転の発想で町を救う物語です。貧しい庶民が藩に貸す大金を集めるのは、当然容易ではありません。お金のある人もない人も、無私の心でお金を出し合い、町を存亡の危機から救います。

　この物語は実話を基にしています。記録に残されていたこの逸話を、「ぜひ広めてほしい」と願う地元の人からの手紙をきっかけに、歴史学者の磯田道史《みちふみ》さんが評伝を書き、映画化され、２５０年も前の名もなき人たちの偉業にスポットが当たることになったのです。

　世のため、人のためになるような「いいこと」をするのも、じつは自己満足であったり、名声を残したいという欲のためであったりと、結局は「自分のため」なのかもしれません。それでも、**目先の世俗的な成功のために何かをするよりも、死んでから残るようなことをするほうが意味がある**という気がします。

　いいことや人のためになることをすると、たぶん誰かが見ている。それは、お天道様や神様が見ているということかもしれませんし、この映画のエピソードのように、少なくとも後世の人は見ていると思います。

たとえば、死ぬ前に故郷にお金を寄付して、そのお金で橋がつくられたとしましょう。その橋を利用する後世の人に、「この橋は、○○さんが寄付してくれたお金でできたんだよ」と語り継がれます。そんな文字どおりの意味で、何かを残すということでもいいのではないかと思います。

自分は最期に泣いてもらえる人間かを考える

歳をとってから、「いま生きているうちに有名になりたい」などと考えるよりも、死んだあとで「あの人はすてきな人だった」と評価されたり、「じつは偉い人だったんだ」と再認識されたりすることを意識するほうがすてきだ、と私は思います。

「死んでからどう思われるだろうか」ということを意識すると、人間はいいことをしようと思うようになります。少なくとも、あまり悪いことや恥ずかしいことはできなくなります。

死後に恥を残さないようにしよう、死んだあとにすてきな人だといわれるような行いをしようという意識を、昔の日本人はもっていたように思います。とくに宗教的な背景がないのに、全国いたるところに、当時の大金持ちや大地主が寄付してできた橋や堰《せき》のようなものがあります。そして多くの場合、それらがつくられた由来が語り継がれています。死後の世界に強い思いをはせることは、現在の生を充実させる一つの方法でもあります。

木村元保《もとやす》さんという鉄工所の社長がいました。まだ映画を１本も撮ったことがなく、夢だけはいっぱいの小《お》栗《ぐり》康平という青年の夢を聞き、４５００万円を用意して映画をつくらせたのです。

小栗康平第１回監督作品「泥の河」は、その年の「キネマ旬報」ベストテン第１位に輝くなど、いまでも語り継がれる名作映画です。「よくそんな大金が出せますね」と周囲から聞かれて、木村さんは、「お金は残るかどうかわからないけど、映画は残るから」と答えたそうです。残念ながら、木村さんは67歳で亡くなりましたが、一部の映画ファンには〝鉄工所のオヤジ〟として記憶に残っています。

私も日本にいるお金持ちの方を紹介されては、映画の出資をもちかけますが、99パーセント断られます。そんな大きな額ではないのですが、お金を出してくれた人の名前はずっと覚えています。名前が残る映画はまだ残せていませんが、私のなかでその人への恩は一生残るように思います。その一方で、木村さんのようなお金持ちとの出会いがないかと、ずっと夢見ています。

死んだあとに自分自身がどうなるのか、どこに行くのかという意味での死後と、死んだあとに自分が周りからどう思われるかという意味での死後、そのどちらを意識するかは、人それぞれだと思います。ただ一つ**不毛なのは**、**死ぬことをあまりにも不安に思うこと**です。

人生の最期を迎えるにあたって大事なのは、なるべく後悔の念を残さないようにすることです。「あのときお金をケチらずに、あそこに行っておけばよかった」

などという後悔は、しないに越したことはありません。

人生の最終段階にある人からよく聞くのは、「死ぬまでに、楽しい思い出をもっと残しておきたかった」という声です。すでにお話ししたように、最期にお金がたくさん残っていてもあまり意味はありませんが、すてきな思い出がたくさん残っている人は幸せに旅立っていくように思います。

もう一つは、**人に対していいこと、親切なことをしてきている人ほど、最期までみんなに慕われたり、別れを悲しんでもらえたりする**ということです。

私は道徳的な高齢者になれ、と言うつもりはありません。でも、高齢者を現実にたくさん見てきた実感として、いいことをするとそれが自分に返ってくるというのは事実だと思っています。

ただ**やみくもに死を恐れるのではなく、死から目をそらすのでもなく、真剣に死と向き合うのです**。その時がきたら、自分は周りの人に泣いてもらえる人間なのだろうか、ということについては、いまから考えておいてもいいのではと思います。

墓より金より名前を残す

地方の墓地を訪れると、かなり立派なのに人がやって来ている様子がまったく見られない墓をよく目にします。墓を継ぐ親族などがいなくなってしまった、いわゆる無縁仏なのでしょう。自分の家が絶えるということを、現実的に想像している人は少なかったのではないかと思います。

国民の象徴である天皇でさえ、安定的な存続が危ぶまれているのが現状です。天皇家が絶える可能性など、かつては誰も想定していなかったはずですが、現実問題として、いま未成年の男性皇族は一人だけで、将来、その方が男子にかぎらず子供をもうけるかどうかは不確実です。

少子化とその背景にある非婚化は進み、いまや男性の四人に一人は生涯未婚という状況です。自分の家や墓を残そうと思っていても、3代先には家を継ぐ人も、墓を守る人もいなくなることが現実味を帯びています。

私には娘が二人います。婿をとって、娘たちに和田の名前を継いでもらうことなどはまったく考えないまま二人とも嫁にいったので、娘の代で和田家は途絶えることになります。私はそれで十分だと思っています。

もし、私が家を残すことにこだわりをもっていたとしたら、娘たちに対して、家に入ってくれる相手と結婚することを強いたり、これまで高い教育を受けさせたことを恩に着せたりして、いろいろややこしい問題が起こったかもしれません。

家であれ墓であれ、将来は絶えるものだという認識をもっておいたほうがいいでしょう。家を絶やさないようにするには、その名目のために可能なかぎり子供をもち、しかも先々の代までそれを徹底させる必要があります。でも、自分の子供はともかく、孫より先の代まで、結婚や子供をもつのを強制することなど、とても不可能です。

生前に立派な墓を用意する人もいますが、その前提条件となるのは、子孫がいるかどうかではなく、死後に名前が残るような業績があるかどうかだ、と私は思います。

名前が残っていれば、子供がいなくても、その人の墓を訪れる人は絶えないでしょう。京都にある坂本龍馬の墓や、東京の泉岳寺にある大石内蔵助《くらのすけ》の墓には、いまも多くの人が訪れています。吉田松陰の墓は、東京で松陰神社という神社にまでなっています。

吉田松陰本人は29歳という若さで刑死しましたが、錚々《そうそう》たる弟子たちを育てたことで墓は立派に守られてきました。子供や孫に期待するより、しっかりした弟子を育てられる人間になったほうが、墓は安泰です。ただ、立派な業績をあげ、尊敬されていれば、墓は絶えないとはいえ、墓が史跡になるレベルで名前を残すというのはさすがに難しいでしょう。

東京都内に立派な墓を建てようとすれば、１０００万円単位のお金がかかります。その家がこの先もずっと残る確信があるとか、自分の知名度や業績なら絶対に誰かが墓を訪れるという自信があるならともかく、そうでないのなら、そのお金を寄付でもしたほうがよほど名前を残せます。

秋田にある国際教養大学には、24時間365日開いている「中嶋記念図書館」が設置されているのをご存じでしょうか。これは初代学長、中嶋嶺雄《なかじまみねお》さんの「いつでも勉強できる場を提供したい」という思いを実現したもので、その功績を称えて命名されたものです。

そこまでのことはできなくても、自分の遺産を生まれ故郷の図書館に寄付して蔵書の充実などに役立ててもらえば、故郷に自分の名前を残すことくらいできるはずです。その金額がかなり大きければ、施設などのネーミングライツ（命名権）を買って、文字どおり、自分の名のついた施設を残すことも可能です。

日本には、寄付によって自分の名前を冠した大学をつくるという発想をもつ人はほとんどいませんが、アメリカの名門大学であるジョンズ・ホプキンス大学やスタンフォード大学は、それぞれ同名の実業家の私財によって設立されています。

日本でも、たとえば、ソフトバンクグループ会長兼社長の孫正義さんや、楽天グループ会長兼社長の三木谷浩史さんクラスの資産があれば、自分の名を冠した超一流の大学をつくることは難しくありません。

世界中から優秀な学者を年俸５０００万円（ちなみに、ハーバード大学の教授の年俸は推定５０００万〜６０００万円といわれています）で引き抜いてきて、その金額を払う価値があるあいだだけ教授でいられるという条件をつければ、一流の教授陣をすぐにそろえられます。一方、学生に対しては、東大に合格してもそれを蹴って入学してきた学生には、年間１０００万円、返済義務のない奨学金を支給することにします。

東大を卒業するときに１０００万円の年収を提示されても、学生にとってはさほど特別感はないと思いますが、高校卒業時点の生徒にしてみれば、毎年１０００万円ももらえるというのは大きな魅力です。東大を蹴ってでも、その大学に入りたいと思う人はたくさんいるでしょう。

そして、現行の偏差値のシステムでは、学生全員が東大を蹴って入ってくれば、その大学の偏差値は東大より上になります。学生１０００人に１０００万円ずつ支給しても１００億円ですから、１０００億円ほどの基金があれば、日本一偏差値の高い大学をつくることは十分に可能なのです。

そこまでのことはできないにしても、たとえば虐待されている子供たちのための施設をつくるなど、資産に応じてできることはいろいろあると思います。**自分のお金を残すことに必死になっている人はよくいますが、自分の名前を残すことを考えている人はあまりいない**ように思います。

繰り返しになりますが、へたにお金を残しても、子供がきょうだい間で争う原因になったりします。それで家族が離散状態になり、結果的に自分が無縁仏になるとしたら、あまりにも虚しい気がします。

あるいは、自分の名前を残すより、思い出を残したいという発想で、死ぬまでに財産を使いきるということもあっていいと思います。

お金を稼ぐハウツー本はたくさん出ていますが、お金持ちの知人によれば、じつはお金は稼ぐよりも使うほうがよほど難しく、頭も使うそうです。

高齢になったら頭を使いつづけたほうがいいということは、前にも述べました。

それなら、**自分のお金をどう使うか、どう名前を残すかということに頭を使いたいもの**です。

第5章

「だてに歳はとっていない」と誇れる老人になろう

「世の中に正解はない」と言えるのが高齢者の強み

歳をとると、ものがわかったような気になってきます。でも、私が尊敬する高齢者専門の医師は、「長年診れば診るほど、高齢者のことがわからなくなる」と言います。

症状からこの病気だと推測してもぜんぜん違っていたり、よかれと思って出した治療方針がまったくあわなかったりということが、高齢者医療では往々にして起こります。

これは、心理的な要因や、本人の資質に左右される部分が大きいのです。たとえば、ヘビースモーカーで体に悪いことをしまくっているのに、100歳を過ぎても元気そのものという人もいます。

「高齢者はこうだ」という一つの答えを出すことは、本来、誰にもできません。私も、この本でかなりわかったようなことを言っていますが、あくまでもこれまで高齢者を診てきた印象論で、そうだと思うことを述べているにすぎません。今後さらに10年、高齢者を診つづけていたら、考え方が変わる可能性もあります。

私は、いま、自分が出している答えが正しいとは思っていません。とはいえ、高齢者をこれだけ診ている医師はほかにあまりいないだろうと思いますし、臨床にずっと携わってきたので、研究室で動物実験ばかりしてきた人たちの言うことよりは、あてになるはずだという自負もあります。心の問題を扱う精神科の医師であるという面でも、多くの人にとって、ある程度有用なことが伝えられるのではないかと思っています。

それでも、私とは違う意見を言う人に対して、「自分のほうがたくさん患者を診ているのだから、自分の言うことのほうが正しい」と言い張る気はまったくありません。でも、そんな私に対して、「あなたの言うことはまちがっている」と主張してくる人はたくさんいます。たとえば、私が「歳をとったら、血圧や血糖値を気にする必要はない」と言うと、カンカンになって否定してくる人がいます。

私からすると、そういう人は、人には個人差があるということを認識していないばかりか、自分が学んできた理論は未来永劫《えいごう》変わることがないと思っている、おめでたい人に見えます。

人生経験を積んだすてきな高齢者は、自分の意見にあまり固執しません。長く生きていると、「こう思っていたけど、じつは違っていた」ということを何度も経験しているので、**世の中にただ一つの正解といえるものはそうそうなく、いろいろなパターンがありうることを体感的に知っている**からです。自説にこだわる人は、自分のモノサシだけでしかものを見ていないので、「じつは違っていた」ということがあっても、違っていたことにさえ気づかないのです。

世の中に正解はありません。ほとんどのことに対して、私はそう思っています。

たとえば、日中戦争で日本軍が行ったとされる南京大虐殺については、事件そのものがなかったとする説から、犠牲者の数は30万人とする説まであります。

そのどれが正解なのかは、いまとなってはわかりません。どれか一つが答えだと思うと、そこで思考が停止してしまいます。歳をとっても人間に残る重要な能力の一つは、考える能力です。

何か知識を得て、それが答えだと納得し、それ以上考えなくなってしまったら、そこでもう終わりです。いくつもの答えの可能性があって、そのどれかなのだろうと思えれば、一つの説が否定されても、別の説が考えられます。だから、いろいろな情報をもつほうがいいのだと私は信じます。

人より長く生きるということは、そのぶん、人よりいろいろなことを知る機会が増えて、物事を考えたり、試したりする機会が増えるということです。正解に見えることに対しても、「いや、そうとはかぎらないぞ」という見方ができるのは、長く生きてきた人の強みではないでしょうか。

変節は立派だが付和雷同はみっともない

自分の信念や考え方を変えると「変節だ」と批判されますが、時代が変わったら変節するのは当たり前だと私は思っています。

私は１９８７年に、ベストセラーとなった『受験は要領』（ゴマブックス。２００２年にＰＨＰ文庫）という本を上梓《じょうし》しました。「数学の勉強は問題を自力で解くよりも、解答を見て覚えるほうがいい」など、なるべくがんばらずに結果を出す受験勉強の方法を指南した本です。

その後、私が当時の教育界で支配的だった「ゆとり教育」に異を唱えると、「変節」だと言われました。でも、『受験は要領』を出版した当時、日本の生徒の学力は世界のトップレベルでしたし、受験生も死ぬほど勉強していました。それがどんどん低下し、自宅で１秒も勉強しない生徒が４割もいるという調査も発表されている状況があったのに、考え方を変えないほうがむしろおかしいと思います。

新自由主義の旗振り役と目されていた経済学者の中谷巌《いわお》さんは、小泉純一郎内閣による構造改革の支援者でもありましたが、その後、著書『資本主義はなぜ自壊したのか』（集英社インターナショナル）で新自由主義との完全な決別を表明しました。規制を廃し、あらゆる経済活動を市場に委ねる新自由主義によって日本の経済がよくなると信じていたのに、現実問題としてそうならなかったからです。

だとすれば、信念を変えるのは当たり前のことです。うまくいかないのに、そのやり方に固執して突き進むのは、特攻精神以外の何ものでもありません。

この国のよくないところは、いったん始めたことを変えられないことです。金融緩和と財政出動で景気をよくするという理論自体はまちがっていなくても、現実としてアベノミクスがうまくいかないのなら、どんどん変えていけばよかったのです。変えていくうちに、景気がよくなったかもしれません。

何にしても、うまくいかなければ、作戦を変えるのは当然のことです。**自分の**

信念であれ、絶対にこれだと思ったやり方や考え方であれ、うまくいかなかったら変えてみるというのは、何も悪いことではありません。

ただ、ここで強調したいのは、変節と付和雷同は違うということです。

変節は、自分の説をもっていて、そこから別の説に乗り換えることですが、付和雷同は他人の説に同調することなので、そこに自分の信念はありません。「言うことが変わる」という意味においてはどちらも同じですが、Ａがブームのときにはと言い、その後、Ｂのブームがくれば Ｂと言うのが付和雷同です。

高齢者が変節するのは、まったく悪いことではありません。

「昔は収入格差があったほうが社会全体の生産性は上がると思っていたけど、格差が広がってみると、ろくなもんじゃないことに気づいた」

「あの国は親日でいい国だと思っていたけど、いまはひどい国だと思う」

というふうに、考えが変わることがあってもいいと思います。

変節といわれることを恐れる必要はないし、むしろ考え方を頑なに変えない高齢

者は、頑固老人以外の何ものでもありません。

「前はそう思っていたけど、長く生きているうちに、やっぱりそれは違うと気づいたんだよ」

と言える清々《すがすが》しさは、とても魅力的だと思います。

しかし、歳をとっても付和雷同している人、たとえば、民主党ブームのときは民主党に肩入れし、その後、保守ブームになれば、リベラルというだけで全否定するような人を見ると、失望を禁じえません。「あなたがた『長老』は、そんな人たちではなかったはずではありませんか？」と問いたくなります。

たとえばコロナ騒ぎのなかで、「昔は結核でもっとたくさん人が亡くなっていたけど、店を開けたらいけないとか、人と一緒に食事をしたらいけないなんてことはなかったようだけどね」と、さらっと言える老人がいたらすてきだと思います。

もっとも、戦前・戦後のあのころと、いまの時代の社会事情は大きく異なりますので、単純な比較は難しいわけですが、それでもその時代を経験している人が言うからこその重みを感じます。

「周りが言っていること＝正しいこと」ではありません。コペルニクス以前の時代の人たちは、誰もが当たり前のように天動説を信じていましたが、天動説が正しくないのはいうまでもありません。

真理は多数決で決まるものではなく、本来は実験や研究によって答えを求める必要があります。自分ではそれができないとしても、せめて統計数字に当たるくらいのことはしておきたいものです。

高齢者はインターネットができない、スマートフォンが使えないとよくいわれますが、いざ始めてみれば意外なほどスムーズに使えるものです。高齢者がガラケーをスマホに替えるとうまく使えないことがあるのは、使う能力がないからではなく、普通に電話をかけるかぎりにおいては、事実としてスマホのほうが使いにくいからでしょう。

でも、彼らのなかにも、パソコンを使いこなせる人はたくさんいます。そのほうが深い情報も得られます。変節できる高齢者は立派だと思いますが、高齢になって、若い人やメディアが騒いでいるからといって付和雷同するというのは、どうもみっともない気がします。

「人生いろいろ」で多様性を認める

小泉純一郎元首相は、政治家としての評価は別として、印象深い名言をいくつも発しています。その一つが、35年前の厚生年金加入時に勤務実態があったかどうかについて、国会で追及されたときの、「人生いろいろ、会社もいろいろ、社員もいろいろだ」という答弁です。

当時は言い逃れだとして批判を浴びましたが、この発言は実際そのとおりです。まさに「人生いろいろ」で、みんながこうあるべきという決めつけは、知的にもメンタルヘルスのうえでも好ましいものではありません。

高齢者のすてきなところ、深みを感じさせる部分は、「人生いろいろ」が認められることです。**歳をとると頑固になると思われがちですが、むしろ長く生きているほど、多様性を認められるようになっていく**ものだと思います。

将来的にはもしかしたら、若いころからずっとテレワークで働き、多様な人とふれあうことがほとんどないまま70歳や80歳になる人も出てきて、高齢者といえども「人生いろいろ」を知らないのが普通になるのかもしれません。

でも、いまの高齢者は違います。学校では優等生ではなく不まじめに見えた人が、意外に要領よく成功してずっと順調だったり、一時期すごく羽振りがよさそうだった人が転落していったりと、これまでにたくさんの「人生いろいろ」を見ています。そのことによって、高い学歴を得れば成功するといった、世間の定説どおりには必ずしもならないことを知っています。

いまの政治家が小粒になっている理由の一つは、彼らの多くがきわめて狭い社会で生きてきたからです。小さいころから、裕福な家の子供ばかりが通う私立の大学附属校で学び、受験も経験せずに大学に入り、ほとんど社会でもまれることのないまま親の跡を継いで議員になった人が目立ちます。

当然、地元の公立学校でさまざまな家庭環境の子供と一緒に学び、受験勉強をして高校や大学に進学し、何年も会社勤めを経験してきたような人たちとは違います。必然的に考えることの幅が狭くなりがちで、理想主義的な国家観だけで突き進もうとするきらいがあります。

それも「人生いろいろ」の一つだとは思いますが、人間としての深みはあまり感じられません。私自身は、彼らのような生き方は選択できなかった人間なので、そのぶん、考え方の幅が広いことを強みにしたいという思いがあります。

人間は変われない、変わらないものだという思い込みを、多くの人がもっています。日本の学歴信仰のベースにあるのは、18歳時点での勝ち負けが一生続くという認識です。たとえば、私が、東大医学部を出ていることに対して、「頭がいいんですね」と言われることがあります。でも、それは、大学を受験した18歳時点で、ほかの受験生よりは勉強ができたにすぎないのです。

ですから、「頭がよかったんですね」と言われるならわかりますが、「頭がいいんですね」と言われるのは違和感があります。私がもし、現在形で「頭がいい」のだとすれば、それは東大医学部卒だからではなく、そのあともずっと勉強しているからです。

人間は18歳のときから変わらないということが、当たり前のこととして認識されているのはおかしなことです。**人生には、浮き沈みも勝ち負けもあり、人間はそのなかで変化していく生き物なのです**。

「人間は変わるものだ」と、高齢者の方にこそ声を上げてほしいと思います。「人生いろいろ」とか、「人間はころころ変わる」ということを、高齢者は経験を通して知っているはずなのに、なぜかそれを封印している人が多いような気がします。

たとえば、学歴はそうあてになるものではないと知っているはずなのに、お孫さんに対して、「いい大学に行きなさい」と、つい言いがちです。本来ならそこで、

「いい大学に入れるのならそれに越したことはないけど、そのあとも勉強しなかったら意味はないよ」という、当たり前のことを伝えるべきなのです。

高齢者が、人間的な「深み」や「幅の広さ」を感じさせてくれると、「だてに歳をとっていないな」と思います。多くの人が「賢い老人」に求めているのはそのようなものです。

誰もがスマホをもち、ネットで何でも調べられる時代になり、知識に優位性がなくなっているからこそ、その人のもつ人生哲学や経験が人間的な「深み」や「幅」につながっているかどうかが、大きな意味や価値をもつのだと思います。

職業に対する決めつけを捨てる

歳をとることで若い人に勝てるのは、経験の多さです。

そう言うと、「いや、自分は会社勤めしか経験してこなかったから」と思う人もいるかもしれませんが、会社勤めを40年近くもやっていれば、ほかの人があまり知らないことをいろいろ知ることができます。

たとえば、営業をずっとやってきた人なら、昔と今の顧客が求めるものの違いとか、お金持ちには見えないのにじつはお金をもっている人の特徴などを、経験から知っているのではないでしょうか。経理ひと筋というと地味な印象ですが、そういう人は意外な経費の使い方の事例など、私などがぜんぜん知らないことをいろいろ知っているでしょう。

以前、東京の都バス運転手の平均年収が約７４０万円で、退職直前には１０００万円近くになるケースもあり、民間にくらべて高すぎるとして批判の的になったことがありました。でも、定年まで40年ものあいだ、ほぼ事故も起こさず多くの人の命を預かってきた人が、年収１０００万円をもらうことのどこが悪いのか、と私は思います。

この職業ならこれくらいの収入レベルという既成概念は、そろそろ取り払われる

べきだと思っています。

たとえば、アメリカではチップの慣習があるため、飲食店で働く人がかなり高い収入を得ていることもめずらしくありません。アメリカの大都市では、いまチップは18〜20パーセント程度ですので、レストランに4人1組の客がやってきて、日本円で一人1万円ずつ計4万円分の食事をした場合、そのテーブルの給仕を担当するホールスタッフは７０００〜８０００円のチップをまるごと手にできます。

ソムリエの場合、一つのテーブルで10万円のワインが1本空けば、そのたびに2万円近いチップが得られます。必然的にソムリエの収入レベルは高く、日常的に高いワインも飲んでいるので、いっそうワインに精通し、ソムリエとしてよりレベルの高い仕事ができるようになります。

日本の場合は、固定給で働いているソムリエがほとんどなので、プライベートでそう頻繁にいいワインの味を覚える機会をもつのは難しいと思います。結果として、日本ではソムリエというと、安くておいしいワインを教えてくれる存在になっているという印象があります。

どんな職業であれ、高いお金を払われている人のほうがいい仕事をするというのは、当然のことでもあります。

たとえば、ベビーシッターにしても、アメリカでは優秀なベビーシッターともなれば、日本円で数万円の時給を得ている人はザラだといいます。

日本でも、超富裕層といわれる人たちが、飛び抜けてスキルの高いベビーシッターや家事代行人を破格の時給で雇えば、安心して子供を預けて出かけられたり、完璧な掃除をしてもらえたりと、自分自身にとってもメリットが大きいはずです。

職種を問わず、その仕事を極める人は必ずいるものです。たとえば、日本有数のベッドメイキングの達人という人もいるでしょう。それに見合う対価をその人たちが得られるようになれば、その職種全体のレベルもおのずと上がります。

富裕層がさらに富めば、その富が自然に低所得者層に流れ落ち、経済全体が成長するという「トリクルダウン理論」については、懐疑的な見方が大きくなっていますが、富裕層が法外なお金を払って、いろいろな職種の人を雇うようになったときに、はじめて格差社会の意味が生まれます。

清掃の仕事をしている人が、最高の清掃人になれば時給5万円もらえるかもしれないという夢をもてたら、世の中は変わると思います。でも、日本の場合はお金持ちがケチであるために、そのようなことは起こらず、あらゆる職業において夢がないのが現状です。お金持ちがお金を使うことで、多少は夢が生まれているといえる職業は、いまのところは料理人くらいでしょう。

家事代行のプロが時給5万円もらうようになったとして、それを「けしからん」と思うのは、考えが狭すぎるというものです。それは、その業界でトップクラスの人の時給が5万円になるというだけの話で、それ以外の人たちの時給が変わるわけではありません。でも、その人たちに夢が生まれることは確かです。

スポーツでも、ある競技がプロ化して、選手はがんばれば年俸1億円得られるということになれば、その競技全体のレベルが上がります。

「この職業はこういうもの」「この職業の人はこういう人」と決めつけず、職業も人生もいろいろだと考えられる思考の幅をもつことが大事だと思います。

「やってみないとわからない」精神でチャレンジする

小泉純一郎元首相の言葉で、もう一つ、私が名言だと思っているものがあります。

宿願だった郵政民営化を実現させるため、2005年に、彼はいわゆる「郵政解散」で総選挙に打って出ました。郵政事業のような公共的なサービスは、国営でなければ維持できないとする声があるなか、民意を問う選挙を仕掛けて勝算があるのかを問われた彼は、こう答えています。

「選挙はやってみなければわからないと思います」

たしかに、選挙自体も、郵政事業を民営化してはたしてうまくいくのかどうかも、やってみなければわかりません。国鉄（旧日本国有鉄道）や郵政の民営化にあたっては、当初はすべての株を国が保有することを法律で規定しています。これは、やってみてうまくいかなければ、ふたたび国営にもどすということを意味しています。

でも、日本人には、いったん決めたことは変えられないという悪い癖があります。イギリスやフランスでは、国営と民営がころころ入れ替わる会社はよくあります。日本の場合、いったん民営化したら、絶対に国営にはもどさないのが不文律となっていますが、やってみてうまくいかなければ、元にもどすのは当たり前のことです。

やってみなければわからない。しかし、**なまじ勉強している人に限って、試す前から答えがあるかのように考えがち**です。

私は、消費拡大のためには、減税よりもむしろ所得税を上げ、そのぶん、さらに多くの経費を認めるようにしたほうが効果的だと主張しています。そうすれば、稼いだお金を「税金でとられるくらいなら、経費として使ってしまおう」と考える人が増えるはずだからです。

それに対して、

「そんなことは、どの経済学の教科書にも書かれていない」

「経済学の理論に反している」

などと言ってくる人たちがいます。

しかし、実際に試してみるまでは、私の主張が正しいのかまちがっているのかはわかりません。少なくとも**現時点ではまだ試されていない以上、まちがっていると言いきることは誰にもできない**のです。

中国製品の進化はめざましいものがありますが、中国では開発段階でまだ中途半端な状態のうちに製品を市場に出し、消費者からのクレームをもとに改良していくというパターンが多いといいます。アメリカも、昔からそのパターンが多い印象があります。

日本の場合は開発に時間をかけ、完璧と思われる製品をつくりあげてから、満を持して市場に投入します。そのため故障などのトラブルは少ないのですが、その後の改良があまり進まないことが多いようです。

改善のスピードが昔とはくらべものにならないほど速くなっているいま、完璧な仕上がりでなくても市場に出し、そこから改良を重ねていくというやり方のほうが、時代にあっていると感じます。

実験は、失敗することを前提に行うものです。私は以前、学校の理科の実験は時間の無駄であり、その時間に数学の問題の一つでも覚えたほうがいいと発言して、猛批判を浴びたことがあります。

しかしながら、日本の中学校や高校の実験は、生徒にケガをさせないことが第一なので、最初から失敗しない手順を教えて実験をしています。それは、いわば料理教室であって、実験ではありません。失敗しないものを実験とは呼びません。失敗したら次の実験を組むという、そのプロセスそのものが実験なのです。

私が提唱する勉強法を試してみて、成績が上がらなければ別の勉強法を試すほうが、学校で理科の実験をするよりもよほど「実験している」といえます。実験の精神そのものを無視して、学校に実験室ばかり増やしていたのでは、日本人の科学力が向上しないのは当然のことです。**人生が実験だと思うことができれば、長く生きているほど楽しめるし、いろいろな実験ができます。**

歳をとると恋愛はできないと思い込んでいる高齢者もいますが、相手にアプローチしてみないことには、フラれるかどうかはわかりません。世の中には、高齢の男性が好きだという女性もいれば、高齢の女性を本気で好きになる男性もいます。歳を重ねて人間の「幅」が広がり、若さや容姿だけで相手の魅力を判断しない、高齢者ならではの恋愛を楽しむことができるのです。

どんなことも実験だと考えてみると、歳をとってからでも気軽にいろいろなことを楽しめます。それができるのも、魅力的な高齢者のポイントだと思います。

「失敗はある」ことを素直に受けとめる

やってみないとわからないことは、たくさんあります。そして、実験だと思えば、やってみて失敗してもかまわないわけです。ただし、失敗したら立ち直れないようなことはするべきではありません。それは実験ではなく博打《ばくち》です。

ファーストリテイリング会長兼社長の柳《やな》井《い》正《ただし》さんは、ビジネスは「一勝九敗」だと著書で語っています。小さな負けが９回あっても、１回大きく勝つことができれば成功できるということです。

バブル期には、その逆の「九勝一敗」で破産する人がたくさんいました。それまでずっと土地の売買で儲けてきた人が、土地の値段が下がることはない、つまり絶対に失敗することはないと思い、最後の１回の投資に莫大な金額をつぎ込んで、すべてを失っていました。

やってみないとわからないということは、「絶対に失敗する」わけではないかわりに、「絶対に成功する」わけでもないということです。絶対に成功するわけではないと思えば、博打的に全財産をかけるようなこともしないでしょうし、反対に、絶対に失敗するわけではないと思えば、いろいろなことにチャレンジできるはずです。

やってみて思ったとおりにいかないという経験は、歳をとるほどしているはずです。予想どおりの結果にならないことはあって当然で、そのときは別のやり方を試してみるのです。

たとえば、医師の場合、患者が飲んでいる薬があっていないと相談してきたら、すぐに薬を変えるのがいい医師だと思います。

自分の凝《こ》り固まった考え方が、ベテランになるにつれてやわらいできて、「このやり方がだめなら、こっちをやってみよう」と柔軟に考えられる医師は、歳を重ねるごとに腕が上がります。

テレビドラマに出てくる天才医師のような人をイメージして、医師の腕は天性のものだと考えるのはやめたほうがいいと思います。「私、失敗しないので」ではなく、失敗を重ねるごとに反省して腕を上げていくのが、本来の医師の姿だと思います。

頭蓋底《ずがいてい》手術の世界的権威であり、天才的な脳神経外科医と呼ばれる福島孝徳さんは、79歳の現在も現役で活躍しています。私は医学生時代、福島さんが手術を行っていた病院で実習をしていました。彼はその天才的な手術の腕だけでなく、看護師などのスタッフに対して、いまではパワハラといわれかねないような厳しさがあったことでも有名でした。

にもかかわらず、彼は驚くほど周囲から慕われていました。手術の腕には絶対の自信があり、それを隠さない彼ですが、手術が思うようにいかなかったときは、「おれは本当にダメ医師だ。この患者の将来を台無しにしてしまった」と、人目をはばからずオイオイ声を上げて大泣きするという一面もあることを、私はそのとき周囲の人から聞いて知りました。

脳外科ですから、失敗したら大きな後遺症が残るのは事実ですが、それだけの腕のある人が人目をはばからず患者さんのために泣くので、看護師や研修医がファンになっていくのです。**うまくいかないとき、その事実を正面から受けとめ、苦悩をさらけ出す**。その姿が周囲の人の心を打ち、ついていこうと思わせるのだと感じたことを覚えています。

高齢期こそ「長い目で見る」力を鍛える

物事を長い目で見ることができるのも、高齢者の有利な点だと思っています。若くして出世することや、目先の勝負に勝つことに必死になる人生を送ってきた人でも、歳をとってくると、「あんなにあくせくしないで、もっと先のことまで考えればよかった」と思うようになることは多いと思います。

学歴がなくても成功している人はたくさんいるし、出世競争に勝たなければならないわけでもありません。**最後に笑えればいい、生き残ることが大事だ、という発想に変わってくる**のではないでしょうか。

私自身、20代後半で最初の本を出して以来、文筆業界でも比較的しぶとく生き延びているほうだと思います。本の売り上げでいえば、ミリオンセラーはこれまで1冊も出したことはないし、若いころのほうがむしろ売れていました。それでも40代に入って以降は、毎年コンスタントに20〜50冊ほどの本を出してきています。

世の中から「消えない」ということが、私の取り柄《え》だと思っています。同年代の作家で、一時、超がつくほどの売れっ子だった人は、私が60冊ほど本を出した年に、軽く80冊以上の本を出していました。当時はとても勝てないと思ったものですが、その彼もやがて失速していきました。

いま、小説家以外の物書きで、数十年にわたって生き延びている人は数えるほどだと思います。その一人として、売れっ子ではなくてもずっと消えることなく、こうして毎年20冊以上の本をいまだに出せることは、それなりに自慢してもいいことなのかもしれないと思えるようになりました。

長く生き延びるということは、ずっとチャレンジの機会があるということです。

ですから私も、もしかしたらこの先、ミリオンセラーが出ることもあるかもしれないし、そうなったとしても、そこで終わりではないと思っています。

　人間は目の前にあることにとらわれていると、先の結果が見えなくなります。第2章でお話しした森田療法では、患者さんがいま悩んでいる症状そのものを治そうとすることはしません。

　それよりも、その症状をなくすことで結果的に本人はどうなりたいのか、たとえば顔が赤いという症状を治したいのは、結果として人に好かれたいからだということに目を向けさせます。そして、その望む結果にアプローチする方法を考えます。顔が赤いのが治らなくても、人に好かれる方法を考えさせ、実行に移させるのです。

そのように、**長い目で見るということは、目の前のことではなく、その先にある結果に目を向けることができるということ**です。

たとえば、お孫さんの中学受験で、自分の娘や息子が、お孫さん本人の気持ちを無視して、いい学校に入れるために必死に勉強させようとしているとします。

そんなときに、

「無理に勉強させてその子が勉強嫌いになったら、大学受験もうまくいかなくなるだろうし、この先の人生でずっと苦労することになるよ」

と伝えるのです。

それこそが、長い目で見る能力をもつ高齢者の価値です。長い目で見る能力の重要性は、歳をとるほど増していきます。その力があれば、健康診断の結果に振りまわされないほうが長生きできることが多いとか、感染症などを恐れて外出自粛を続けていると、歩けなくなるリスクが高まるといったことを見通すことができます。高齢期こそ、長い目で見る力を鍛えたほうがいいと思います。

短期的な結果だけで物事を判断する癖が直らない高齢者もいる一方、長期的な展望をもっていて、「そうは言っても、5年、10年たってみないとわからないよ」と言える高齢者もいます。だてに歳をとっていないと感じさせるのは、やはり後者です。

高齢者には、無駄に歳をとっている人と、だてに歳をとっていない人がいます。品格ある高齢者になるとは、すなわち、「だてに歳をとっていない人」になるということにほかならないと思います。

第6章 すてきな高齢者になるために必要なこと

「○○になりたい」から「こうありたい」へ

高齢になることの大きなメリットの一つは、世俗の価値観から自由になれることだと思います。

人は一般的に、「こうなりたい」と思うものに向かって人生を歩んでいきます。人生の大半の時期においては、「この職業に就きたい」「この肩書を得たい」など、具体的なものをめざすことが多いはずです。

でも、歳をとるとそれが難しくなってきます。そこから先は、**「こうありたい自分」というものをもたないと、生きていくのがしんどくなる**のではないかと思います。

実際、私はある時期から、肩書に対する関心がほとんどなくなり、「こうありたい」という、自分にとっての理想について考えるようになりました。そこで私が真っ先に思うのは、歳をとっても「おもしろい人」でありたい、つまらない人と思われたくないということです。

競争社会のなかでは、「おもしろい人」が勝つわけではありません。それでも、長い目で見れば、競争社会で勝ち抜くよりも、おもしろい人であることに価値を感じます。

世俗の価値観を軸にしていれば、この職業のほうがより社会的地位が高い、この肩書のほうがより偉い、だからそれをめざすという発想になると思います。でも、歳をとったらその価値観から自由になり、「○○になりたい」という名詞形の「なりたい自分」よりも、どうあるかという「**ＨＯＷ**」の意味合いでの「こうありたい自分」のイメージをもちたいものです。

たとえば、歳をとってから、「作家になりたい」と思い立つ人もいると思います。そこで文学賞をねらっても、現実にはなかなか厳しいでしょう。賞は人間が審査して選ぶものである以上、審査員の年代が自分より下になるほど世代的な感性の差も大きくなり、選ばれるのは難しくなるからです。

でも、読む人におもしろいと思われるものを書くことは、何歳でも可能です。これからねらうなら、そちらのほうがずっと価値があるのではないでしょうか。いまなら、紙の本にこだわらなくても、ネット上で作品を発表し、それが話題になっていくケースも多くあります。

私も、「この歳にならなければこの考え方はできない」と感じさせるものを書きたい、そういうものが書ける人間でありたいと思っています。

世俗の価値観にとらわれたくないと思っていても、若いうちはそうならざるをえなかったという人もいるでしょう。会社で働いていれば、そのなかで上をめざそうと考えるのは必然でもあり、そのために上司の目や周りからの評価も気にしなくてはなりません。

そのしがらみから解放されて、自分の好きなことができる。**本当に「こうあり**

たい」と思える自分を追い求められる。それこそが、歳をとることで得られる大きな特権だと思います。

実際、歳をとると肩書が立派な人より、生き方や話していることが魅力的な人のほうが、はるかに人を惹きつけます。そういうものが必ずしも「こうありたい」自分とはかぎりませんが、「こうありたい」自分を探してみることも歳をとってからの時間の使い方かもしれません。

人生のピークは後ろのほうがいい

若くして有名になり、ちやほやされている人たちのことが、若いころの私はうらやましくてたまりませんでした。そんな人たちの活躍を尻目に、「なんで自分はいつまでたっても売れないんだろう」などと思いながら、くすぶりつづけていました。

でも、負け惜しみかもしれませんが、最近では、「人生のピークは後ろのほうがいい」と思っています。歳をとってみると、若いうちに勝ってきた人が過去の栄光にしがみつき、自慢話ばかりするイヤな老人になっているのを目にすることがあると思います。

私は高齢者をたくさん診てきていることもあって、ある時期から、物書きや映画監督としても、ピークを迎えるのは遅いほどいいと思うようになりました。

たしかに、「発想力のある若いうちに成功できるに越したことはない」という見方もあるでしょう。でも、若い人の発想がおもしろいのは事実だとしても、一方で、若さゆえに発想の幅が狭いという面もあると思います。若いうちに１００億円の資産を手にすれば、残りの人生は悠々自適だと思うかもしれませんが、それはそれでつまらないようにも見えます。

税金対策で日本からシンガポールに移住した起業家や資産家が、かなりの確率で数年後には日本に帰ってくるという話を聞きます。温暖な気候で治安もよく、食事もおいしい理想的な場所だと思って移住するものの、実際には、味はともかく料理のジャンルの幅が狭く、気候も単調で、物足りなさを感じるようです。

とくに高齢で移住した場合、人生の終わりが近づくと、「日本で死にたい」という思いが強くなる人も多いという説もあります。

日本の食は多彩で、四季もあります。猛暑の日も雪の日もあるからこその楽しみがあります。同じように、「人生いろいろ」「人生山あり谷あり」だからこそ、おもしろいともいえるでしょう。**「いまはダメでも、この先いいことがあるかもしれない」と思えるかどうかは、長い人生を歩むうえでとても重要なポイント**だと思います。

中国では、過酷な競争社会を早々に離脱し、家も買わず結婚もせず、なるべく何もしない暮らしを望む、「寝そべり族」と呼ばれる若者が増えているといわれています。

日本でも、夢がなく、異様にあきらめのいい若い人が増えているという印象があります。この先いいことがあると思えなければ、年齢にかかわらずそこから先の人生は、ただ長い時間をもてあますだけの〝余生〟になってしまいます。**人生のピークは、この先にある。**そう思うことができれば、高齢期に入ってからも、ピークに向かう楽しみがずっと続きます。

めざしたいのは洒脱な老人

文豪の永《なが》井《い》荷《か》風《ふう》は、耽美《たんび》的な作品を残す一方で、私娼《ししょう》街に入り浸る生涯を送り、〝不良老人の元祖〟とも呼ばれている人です。

極端な話かもしれませんが、普通の社会人で父親でもある中年男性が、永井荷風のような生き方をしたいと思ったとしても、現実にはまず許されないでしょう。現在、61歳の私でも、そんなことを言い出したら、さすがに周囲に制止されるはずです。

しかし、70代や80代になり、子供も自立し、配偶者とも互いに独立した生き方ができるようになった（これが意外に難しいのですが）あとであれば、「もういいかげんにしておいたほうがいいんじゃない」と、たしなめられる程度ですむような気もします。京都の花街でのお座敷遊びは、若い人よりもむしろ老人のほうが似合います。

昔は日本もそういう文化だったのかもしれませんが、欧米では遊びに対して意欲が旺盛な老人はすてきな人と認識されます。

品格というと誤解されやすいのですが、私は上品な老人や、道徳的な老人をめざすべき、と言いたいわけではありません。**めざしたいのは洒脱《しゃだつ》な老人、おもしろい老人、生き方がうらやましいと思われる老人**です。

いまから20年ほど前、歌舞伎俳優の坂田藤十郎《とうじゅうろう》さんが生前、50歳以上年下の舞妓と密会し、その際に着ていたバスローブをはだけて下半身を見せていたことまでが報じられ、騒動になったことがあります。

それが彼の品格を下げたか否かについては両論あるでしょう。でも、妻の扇千《おうぎち》景《かげ》さんが意に介さない態度を示したからでもありますが、この騒動には当時、どこか笑ってすませられる部分があったと思います。

そこで藤十郎さんが顔を真っ赤にして、「そんなことはしていない」と言っていたら、さぞかし格好悪かったと思います。記者会見で「お恥ずかしい。私が元気だということを証明してくださって」と、さらっと言えるところはさすがでした。

若いうちは、世の中で生きていく以上、世俗の価値観や常識に縛られるのはしかたのないことです。でも、歳とともに自由になれる部分もあります。

私が洒脱な老人だと思うのは、世俗の価値観に縛られることなく飄々としている人です。具体的なイメージとしては、たとえばタレントの高田純次さんです。

現在、75歳の高田さんは、「適当」「いいかげん」の代名詞的な存在ですが、あのような生き方ができればメンタルヘルスの面でも理想的です。「常識老人をめざすよりも、高田純次キャラをめざせ」と、私はことあるごとに言っています。

嫌われる老人の代表例が、説教くさい老人です。認知療法という心の治療法で、治療対象となる思考パターンの一つが「かくあるべし思考」です。

本来、**世の中は「かくあるべし」どおりにいかないことを、いちばんよく知っているのが高齢者のはず**です。「かくあるべし」どおりにしなかった人が案外うまくいっているとか、反対に「かくあるべし」に縛られていた人が、追いつめられてうつ病になったというケースなどを見てきていると思います。世俗の価値観から離れるというのは、「かくあるべし思考」から脱却するということでもあります。

品格のある老人とは、説教老人や道徳老人とは違います。医師の世界にも、「かくあるべし」を説きがちな、教え魔のような医師がいる一方で、飄々としているのに、その先生がいるだけで周りが影響を受ける医師もいます。そして、圧倒的に格好よく、圧倒的に評価が高いのは後者です。

説教しなくても周囲の人から慕われ、自然に真似される人。その姿を見た人に「あんなふうに生きたい」と思わせる人になるのが理想です。

私もいつかそうなれたらと思っています。ただ、これまでそんなことはなかったのに、60代になったいま、東大の医学部を出た若い医師などから、「大学の医局に縛られず、やりたいことをしている和田先生のようになりたい」という声がぼちぼち聞かれるようになりました。

それは素直にうれしいことだと思っています。

ホルモンバランスの変化を味方につける

高齢期には、男性は男性ホルモンが減少するのに対し、女性は閉経後に男性ホルモンがむしろ増加します。このため、高齢の男性は人づきあいなどが億劫《おっくう》になりがちで、女性は反対に以前よりもアクティブになる傾向が見られます。

男性の場合、不足している男性ホルモンを薬で体内に補充する、ホルモン補充療法を行うことにより、見違えるように元気になるケースがかなりあります。

プロスキーヤーの三浦雄一郎さんは、76歳のときに骨折して筋力が低下したことをきっかけに、日本メンズヘルス医学会名誉理事長の熊本悦明《よしあき》医師のすすめで男性ホルモン補充療法を始めたそうです。80歳でエベレストに登頂した際も、男性ホルモンの注入を行いながら登っていたといいます。現在、92歳の熊本さん自身も、男性ホルモン補充療法を行っています。

日本では、こうした療法を行うことを反則のようにとらえる人が多いのですが、べつに違法な薬物を注入するわけではありません。**「薬で元気になる」というのは、オリンピックであればドーピングになりますが**（実際、男性ホルモンはドーピング薬に指定されています）、**人生にドーピングはありません。**

ホルモン補充療法を取り入れるかどうかは、あくまでも本人しだいです。元気に過ごしたいのであれば有効性の高い選択肢ですし、もう〝枯れた老人〟でかまわないということであれば、無理に行う必要はないということです。

ただ、枯れるにしても、暇をもてあまして妻にべったり張りつく、いわゆる「濡れ落ち葉」のような枯れ方は考えものです。枯れるなりに、俳句でも何でもいいので趣味をもったり、適度に社交を楽しんだりということはしたほうがいいと思います。

女性の場合は、前述のように男性ホルモンが増えて活動的、社交的になることが多いので、高齢期になってから交友関係が広がったり、積極的に旅行に出かけたりする人もよくいます。

そこで**「年がいもなく」などと考えて行動を抑えたりすると、やはり老け込みやすくなります**。その意味では、男性以上に、世間体を気にせず楽しむ意識をもったほうがいいと思います。

というのも、同じ歳の男性と女性をくらべた場合、女性のほうがアクティブになるはずなのに、統計では女性のほうが認知症の人の割合が多いのです。それがなぜなのかはよくわかっていませんが、家事などルーティン化された行動が多く、脳への刺激が比較的少ない生活であることが要因の一つではないかと考えられます。

また、アルツハイマー型は閉経後、女性ホルモン（エストロゲン）が減少することも関係しているのではないかという説もあります。

このことを考えても、せっかく**意欲があるならアクティブに動き、脳を活性化させるに越したことはない**と思います。

亡くなった瀬戸内寂聴さんを見ていても、黒柳徹子さんを見ていても、活動的に生きている人は認知症を寄せつけないようです。

「成熟した依存」ができる人になる

人に頼らないことは美徳のように思われがちですが、高齢になれば誰もが人に頼らざるをえなくなります。足腰が弱ってきても自立生活にこだわっていると、転倒して骨折し、それをきっかけに寝たきりになるといったリスクも高まり、かえって周囲に負担をかけることにもつながります。

そこは意地を張らず、素直に公《おおやけ》の世話になることを考えたほうがいいのです。介護保険や公的な福祉サービスを利用することは、当然の権利なのです。

欧米が日本と大きく違う点の一つは、払った税金の元をとろうという国民の意識が強いことです。そのため、北欧の国々のように、税金が高くてもそのぶん手厚い福祉が受けられるのであれば、国民は不満をもちません。

最近イギリスなどでは、払った税金を福祉で返してもらうという発想は財政のパンクや社会の停滞を招くとする議論もあり、自立文化にシフトしてきているようですが、それでも〝元をとる〟という意識は根強く、選挙でも争点になります。

また、北欧の国々の場合、労働者が解雇されても国の福祉で生きていけるため、産業の転換が比較的容易にできるという面もあります。たとえば、フィンランドのノキアは、かつて世界最大の携帯電話端末メーカーでした。ところが、携帯電話が売れなくなったときには、従業員を大量に解雇して別の事業に転換し、生き残りを図る道を選ぶことが可能でした。

「福祉は個人のためならず」という側面があります。人に頼ってはいけないと考える人は、体が弱ってきたときになるべく公の世話にならずにすむよう、お金を貯めようとします。でも、それによって消費不況が起こり、結果的に国にとっては不利益となる可能性があります。

大切なのは、**依存しないことではなく、「成熟した依存」ができるようになる**ことだと私は思っています。人に頼るかわりに何かを返す。**ギブ・アンド・テイクというより、実質的には「テイク・アンド・ギブ」ができればいい**と考えます。

たとえば、公の介護サービスに頼ることで、家族の介護負担が減って共倒れにならなくてすみます。もっとシンプルなことでいえば、他人に何か親切にしてもらったとき、「ありがとう」のひと言を返すだけで、相手の自尊心を満たすことができます。

高齢者の場合、病気で寝たきりになってまったく意思疎通ができないなど、完全に一方的な依存というものも存在しないわけではありませんが、通常は一方が依存しているように見えて、相手も心理的に満たされるなど、なにかしらのものを得ています。

すごく勉強ができる優等生と、その優等生にいつもノートを借りにくる劣等生がいるとして、後者が一方的に前者に依存しているかといえば、そうとはかぎりません。その劣等生に感謝されたり、気前よくノートを貸す人間性を称賛してもらえたりすることに、優等生は満足感を覚えているかもしれないのです。

相手に直接返すかたちではなくても、他者に依存することによって、そのニーズを満たすための雇用が生まれるということもあります。自分が依存することで、世の中全体としてはギブ・アンド・テイクで収支が合い、それでまわっていくならいいと考えてみてください。

依存という点では、他者だけでなく道具への依存というのもあるでしょう。高齢者の多くが杖を使うこと、補聴器を使うこと、おむつを受け入れることに抵抗があるようです。でも、それによって転倒のリスクは下がるし、コミュニケーションは取りやすくなるし、トイレを探す必要がなく自由に行動ができるという側面もあります。そのほうが高齢者のＱＯＬ（生活の質）も上がります。

今後、自動運転が実用化されても、そんな車に乗りたくないと思う方もいるかもしれません。でも、自分で運転することにこだわるより、はるかに安全で快適に移動できるのも事実です。**素直に依存したほうが、余裕ある高齢者になれる**気がします。

成熟したというだけでなく、上手な依存というのもすてきな高齢者につながるのではないでしょうか。

人に頼るかわりに自分は何ができるかを考える

「成熟した依存」の方法はいろいろ考えられます。体が弱ってきている人が、公的なサービスのホームヘルパーにきてもらうかわりに近所の人の助けを借り、ふだんから世話になってきたお礼も兼ねて、お金を受け取ってもらうということも考えられるし、状況によっては言葉で感謝を伝えるだけでもいいかもしれません。

精神分析学者のコフートは、人間とは依存的な生き物であって、他人に依存しないのは酸素に依存しないのと同じほどありえないことだと言っています。同時に、依存は「お互いさま」であることも指摘しています。

高齢になってから必要なのは、**どうしたら人に頼らなくてすむかを考えることではなく、人に頼るかわりに自分は何ができるかを考える**ことです。

「国があなたに何をしてくれるかではなく、あなたが国に対して何ができるかを問うてほしい」という、ジョン・Ｆ・ケネディがアメリカ大統領就任演説で述べた有名な言葉があります。

じつは、この話の前には共産主義の脅威に対抗すべく福祉が必要だということを論じていますので、ちゃんと金持ちが税金を払って貧困を撲滅しようという意味で、国に対して何ができるかを論じたという説もありますが、いずれにせよ、自分は何ができるかを考えることも必要だと思います。

体が弱ってきたから、外出先で人に頼らなくてすむように「外出自体を控える」という発想で自分の生活を制限するのではなく、

「体が弱ってきたけど、寄付ならできる」

「こういうボランティア活動ならできる」

と考えて、ためらわず人に頼り、やりたいことをあきらめないようにしたほうがいいと思います。

そして、ボランティアをするなら、それで健康維持ができることに感謝しましょう。

「成熟した依存」は、ギブ・アンド・テイクの発想がベースですが、ギブに関しては「見返りを求めない、期待しない」こともポイントです。

何かいいことをするときに見返りを求めると、それが得られなかった場合に落

胆したり腹を立てたりします。いいことをするのはそれ自体に意味があり、そのうえで自分も気分がよくなったほうがいいのに、見返りがないといって気分を害するなら、何のためにいいことをしたのかわからなくなります。

高齢になればできなくなることは増えていきますが、できることも残っているのですから、それを活かさない手はありません。**できないことは人に頼ってもいい。**でも、**そのかわりに自分にもまだできることがある、という発想をもちつづけたい**ものです。

高齢者は「他人に迷惑をかけてはいけない」という意識が強く、それ自体は尊いことかもしれませんが、迷惑をかけないように意地を張るのはかえってみっともないのも事実だと思います。迷惑をかけないようにしようと思いすぎると、結局、最後の最後にどうしようもなくなってから人に頼るということになります。そして結果的に、周囲の人から「水くさい」「なぜ、もっと早く言ってくれなかったのか」と言われてしまいます。

迷惑をかけないようにする努力ではなく、迷惑をかける自分でもできることはないかを探す努力をするほうが賢明です。

感情は豊かに、でも感情的にはならない

高齢になると、脳の前頭葉が萎縮《いしゅく》してくるため、感情のコントロールが利きにくくなります。役所の職員や店のスタッフの対応に腹を立てて、大声で怒鳴りつけている高齢者がよくいます。

その姿を見た人たちからは「暴走老人」などと呼ばれ、「ああはなりたくない」とつぶやかれたりします。

でも、その手の高齢者の多くは、ふだんから四六時中、怒っているわけではありません。「かくあるべし思考」が強いために、そこから外れた人を見るとムカッときてしまう。つまり規範意識が強く、ふだんはむしろまじめそのものの人が多

いのです。

言い換えれば、彼らは感情が豊かとはいえません。「暴走老人」のように怒りっぽくなったり、あるいは涙もろくなったりと、一般的には高齢になるほど喜怒哀楽が激しくなるといわれていますが、実際にたくさんの高齢者を診ていると、むしろ逆だと感じます。

喜怒哀楽などの感情をつかさどる大脳辺縁系の老化が進むため、一般論的には高齢になるほど感情のテンションが下がります。感情のテンションが下がるかわりに、前頭葉も萎縮してその機能が低下するので、いったん火がつくとブレーキが利かなくなるというのが、高齢者の典型的な感情のパターンだと思います。

私が以前『感情的にならない本』を書いたとき、本を読んでいない人からはよく誤解されたのですが、**「感情的にならない」というのは、怒りなどの感情を押し殺すということではありません**。感情をもつことと、感情的になることは違います。感情をもつのはいいことですが、たとえば怒りの感情にまかせて手を出したり、暴言を吐いたりするのは問題です。

あるいは、何か心配事があって不安になるのは悪いことではありませんが、不安感情によって思考が歪《ゆが》められたり、事実を隠蔽《いんぺい》するような行為に走ったりするのはよくないということです。**「感情的にならない」とは**、私にいわせれば、**怒りを言動としないこと、怒りと不安によって思考が歪められないこと**です。

そこで、年配者の知恵を発揮して、ムカッときたら一呼吸おくとか、「こんなところで怒鳴ったらみっともない」と、自分を客観視するといったことが必要です。

感情に振りまわされて思考が歪むパターンの一つは、あと先のことが考えられなくなるというものです。

たとえば、感染症に対する不安に振りまわされて、先々歩けなくなるかもしれないリスクを考えられず、家にこもりつづけてしまうというのもその一例です。不安感から隠し事をしてよけい苦しくなるとか、相手が嫌いだという感情に振りまわされて、その相手の言うことを全否定するといったパターンもあります。

感情そのものを押し殺す必要はありません。むしろ楽しいときは楽しみ、おかしいときは笑い、政治などで腹の立つことがあれば怒り、不安なときはそれを人と共有する。そんなふうに感情を豊かに表すことは、悪いことではないのです。高齢になっても魅力的な人の多くは、喜怒哀楽がはっきりしています。

高齢の人は、これまでそれを我慢して、さまざまな感情を押し殺してきた人が多いのではないかと思います。でも、**高齢者の笑いはとてもチャーミングだし、思い切り笑うことは免疫機能を高める効果もあります**。「すてきな高齢者」と言われて思い浮かぶ人、たとえば瀬戸内寂聴さんなどは、笑顔がすてきな人という印象があると思います。

また、政治や世の中の不正などに対する高齢者の怒りには、豊富な人生経験に裏打ちされたリアリティがあります。

感情が豊かな高齢者を、人は決して嫌わないと思います。感情をあらわにする人の代表例といえば、映画「男はつらいよ」シリーズの寅さんや、ドラマ「寺内貫太郎一家」の主人公、寺内貫太郎などが思い浮かびますが、彼らは決して嫌われず、むしろたくさんの人から愛されています。

嫌われる人がいるとすれば、感情をあらわにするだけにとどまらず、そこで手が出たり暴言を吐いたり、人が傷つくような悪口を言ったりするからです。感情は出してもいい。でも、感情にまかせて人に嫌われるようなことをしてはいけない。その境目を見極められるのが、品格のある高齢者だと思います。

好かれる高齢者は、やはりどこかかわいげがあるものです。感情が豊かで、ときにネガティブな感情を出しても、「あの人は憎めない」と言われる。それはやはりすてきなことだと思います。

自然にまかせず、「そうなる」と意識して生きる

歳をとればとるほど知恵がついて、いろいろなものが受け入れられるようにな

ると思われがちですが、実際は、なかなかそのとおりにはいきません。

たとえば、養老孟司さんや瀬戸内寂聴さんのような、「だてに歳をとっていない」と思わせる思考の幅が広い高齢者には、現実にはめったに出会えません。たまにしか出会えないからこそ、すごい存在であるともいえます。

私はこの本で、こうでなければならないという高齢者像を押しつけるつもりはありません。それでも一つ心にとめておいたほうがいいと思うのは、**自然に歳をとるにまかせていると、みっともない老人になるケースが多い**ということです。

一般的には歳をとるほど、前頭葉が萎縮して思考の幅が狭くなる、不安に振りまわされやすくなる、お金に対する執着心が強まりケチになる、といった傾向があります。**歳をとって大らかになるとか、酸いも甘いも噛み分けられるというのは、じつは自然な老化によるものではなく、そうなろうという意識を多少なりとももっていないとなれないものなのかもしれません。**長年、高齢者と向き合っているうちに、私はそのことに気づきました。

どうせ歳をとるなら、「この人と会っているとほっとする」と思われる老人、周りに自然に人が集まってくる魅力的な老人になるほうがいい。でも、そんな高齢者になるのは、そうなりたいと自覚し、そのために何をすればいいかを考えていなければ難しいのです。

とはいえ、品位を意識して、あるいは人に慕われるようにするために、高齢者に対して「言いたいことを我慢しろ」と伝えたいわけではありません。**嫌われない老人になろうとして周囲に合わせていると、むしろただのつまらない老人になってしまいます**。

私は大学で教員もしていますが、60代になったいま、毎回ビクビクしながら大学生相手に授業をしています。何にビクビクしているかといえば、学生につまらない授業だと思われないかということに対してです。

よく、授業中に居眠りしている学生を怒る先生がいますが、眠ってしまうような授業をするほうが悪いのです。私も目の前で学生に寝られるとさすがに落ち込みますし、そこまでつまらないのかと心配にもなります。学生の反応を気にかけつつ、できるだけおもしろいと思われる授業をしようと心を砕いています。

冷たい言い方になるかもしれませんが、自分の周りに人が寄ってこないとか、話している相手につまらなそうな態度をされることがあるとしたら、多少なりとも自分を省みたほうがいいと思います。**周りにあわせる必要はありませんが、自分がどう見られているかということは意識してもいい**、と私は思っています。

すてきな高齢者になるためにいちばん必要なのは、そうなろうという意識をもつことです。高齢の人たちがその意識をもつことで、沈滞した世の中が多少いい方向に向かうかもしれません。高齢者の数からすれば、それくらいの影響力はあるはずです。

たとえば、高齢者施設に入ることになった場合でも、そこで自分の品位を保って暮らしていこうと考えることは大事だと思います。自分なりの人生の選択として、そこで暮らすことを選んだのであれば、ただ残り時間を消化するようにして過ごすのはもったいないと思います。実際に施設に行くと、施設のなかで尊敬されている入居者もいれば、そうでない人もいます。

また、認知症がある程度進んでも、ウィットやユーモアに富んだ言葉、含蓄《がんちく》のある言葉を口にする人はよくいます。１００歳を過ぎても元気な双子として、１９９０年代にメディアで引っ張りだこになったきんさん、ぎんさんも、おそらくそういう人たちだったのだろうと思います。

認知症になると、直近のことに対する記憶は失われやすくなりますが、その人自身の芯にある思いや、人生の信念のようなものは残ります。そのため、認知症の人がすばらしい名言や、深みのあるいい話を聞かせてくれることはめずらしくないのです。

あとがき

この本に最後までおつきあいいただいて、ありがとうございました。

老いについて、あるいはこれからの人生について、少しでもヒントになったと思っていただければ、著者として幸甚このうえありません。

私も、この6月で62歳となるのですが、どんな老いが望ましいかを語るには、まだまだ若すぎるかもしれません。

高齢者というのは、一括《ひとくく》りにされがちですが、じつは歳をとるほど個人差が大きくなるものです。

若いうちであれば、東大に入るくらいの秀才でも、クラスのなかでどうしようもないくらいの劣等生でも、知能指数なら70〜１３０くらいの範囲に収まります。

しかし、同じ70代の人でも、大学者や大経営者として活躍している人もいれば、認知症で人の話も理解できない人もいます。

若いうちであれば、50メートルを走るにしても、オリンピッククラスでも５秒くらいで、ひどい鈍足の人でも10秒くらいでしょう。高齢者の場合、７秒くらいで走る人もいるのですが、一方で寝たきりの人もめずらしくありません。

そのうえ、一人ひとりの感じ方、考え方が長い人生体験で大きく違うのですから、まさに千差万別です。私がそれでも、こういう高齢者になりたいと感じたことをヒントにしてほしいと提言するのは、医師として人一倍高齢者を診てきた自負があるからです。

私自身、長い人生をふりかえって運がよかったと思えることはいくつもあります。

高校生で受験テクニックに出会い、望外の学歴を得たことや、若いころから本を出す機会を得て８００冊くらいの著書を出せたこと、あるいは、その間《かん》にいろいろな出会いがあり、映画を撮りたいという夢をかなえたことなど、本当に運がよかったと思います。

しかし、そのなかでもっとも運がよかったということがあるとすれば、プロローグでふれたように、精神科でも内科でも適応できずに苦しんでいたときに、その両方の研修をしてきたという理由で、当時、日本に三つしかなかった高齢者専門の総合病院に精神科医として就職できたことです。

その後、老年医学の道に入るわけですが、多くの老いを見ることができ、人生観が変わりました。

上に媚びて出世しても、晩年は、その上の人が先に亡くなり、下の人に嫌われているので孤独になりがちであることを知り、あまり肩書にこだわらず、なるべく下の人を大事にしようと思えたこととか、人生のピークは後ろにもってきたほうがいいことを知って、いろいろなことに焦らなくなったことなど、生きる方向性を大きく変えることができました。

本書は、そういう自分が実際に見聞きしたことから、自分がこんなふうになりたいと思うようになったことをまとめたものです。

どんなに老いても、その先のことは人間誰も経験していないので、少しでもヒントになれば幸甚このうえありません。

本書のような、やや奇書に当たるかもしれない本の編集の労をとっていただいたＰＨＰ研究所ビジネス・教養出版部の山口毅さんと堀江令子さんには、この場を借りて深謝いたします。

２０２２年５月２日

和田秀樹

編集協力——堀江令子
月岡廣吉郎

PHP新書

PHP INTERFACE
https://www.php.co.jp/

和田秀樹［わだ・ひでき］

1960年、大阪府生まれ。東京大学医学部卒業。精神科医。東京大学医学部附属病院精神神経科助手、米国カール・メニンガー精神医学校国際フェローを経て、現在、和田秀樹こころと体のクリニック院長。高齢者専門の精神科医として、35年近くにわたり高齢者医療の現場に携わっている。
主な著書に、『70代で死ぬ人、80代でも元気な人』（マガジンハウス新書）、『80歳の壁』（幻冬舎新書）、『70歳が老化の分かれ道』（詩想社新書）、『「損」を恐れるから失敗する』（PHP新書）などがある。

老いの品格 （PHP新書1310）

品よく、賢く、おもしろく

二〇二二年六月十日 第一版第一刷
二〇二三年三月一日 第一版第十刷

著者――和田秀樹
発行者――永田貴之
発行所――株式会社PHP研究所
東京本部――〒135-8137 江東区豊洲5-6-52
ビジネス・教養出版部 ☎03-3520-9615（編集）
普及部 ☎03-3520-9630（販売）
京都本部――〒601-8411 京都市南区西九条北ノ内町11
組版――月岡廣吉郎
装幀者――芦澤泰偉＋児崎雅淑
印刷所
製本所――図書印刷株式会社

ISBN978-4-569-85230-0

ＰＨＰ新書刊行にあたって

「繁栄を通じて平和と幸福を」(PEACE and HAPPINESS through PROSPERITY)の願いのもと、ＰＨＰ研究所が創設されて今年で五十周年を迎えます。その歩みは、日本人が先の戦争を乗り越え、並々ならぬ努力を続けて、今日の繁栄を築き上げてきた軌跡に重なります。

しかし、平和で豊かな生活を手にした現在、多くの日本人は、自分が何のために生きているのか、どのように生きていきたいのかを、見失いつつあるように思われます。そして、その間にも、日本国内や世界のみならず地球規模での大きな変化が日々生起し、解決すべき問題となって私たちのもとに押し寄せてきます。

このような時代に人生の確かな価値を見出し、生きる喜びに満ちあふれた社会を実現するために、いま何が求められているのでしょうか。それは、先達が培ってきた知恵を紡ぎ直すこと、その上で自分たち一人一人がおかれた現実と進むべき未来について丹念に考えていくこと以外にはありません。

その営みは、単なる知識に終わらない深い思索へ、そしてよく生きるための哲学への旅でもあります。弊所が創設五十周年を迎えましたのを機に、ＰＨＰ新書を創刊し、この新たな旅を読者と共に歩んでいきたいと思っています。多くの読者の共感と支援を心よりお願いいたします。

一九九六年十月

ＰＨＰ研究所